Keller | Romeo und Julia auf dem Dorfe

Reclam XL | Text und Kontext

Gottfried Keller
Romeo und Julia auf dem Dorfe

Novelle

Herausgegeben von Wolfgang Pütz

Reclam

Der Text dieser Ausgabe ist seiten- und zeilengleich mit der Ausgabe der Universal-Bibliothek Nr. 6172. Er wurde auf Grundlage der gültigen amtlichen Rechtschreibregeln orthographisch behutsam modernisiert.

Zu Kellers *Romeo und Julia auf dem Dorfe* gibt es bei Reclam
– einen *Lektüreschlüssel für Schülerinnen und Schüler* (Nr. 15324)
– *Erläuterungen und Dokumente* (Nr. 16032)
– eine Interpretation in: *Erzählungen und Novellen des 19. Jahrhunderts II* in der Reihe »Interpretationen« (Nr. 8414)

E-Book-Ausgaben finden Sie auf unserer Website
unter www.reclam.de/e-book

Reclam XL | Text und Kontext | Nr. 19040
Alle Rechte vorbehalten
© 2013, 2017 Philipp Reclam jun. GmbH & Co. KG, Stuttgart
Gestaltung: Cornelia Feyll, Friedrich Forssman
Satz: pagina GmbH, Tübingen
Druck und Bindung: Reclam, Ditzingen. Printed in Germany 2017
RECLAM ist eine eingetragene Marke
der Philipp Reclam jun. GmbH & Co. KG, Stuttgart
ISBN 978-3-15-019040-1

Auch als E-Book erhältlich

www.reclam.de

Die Texte von Reclam XL sind seiten- und zeilengleich
mit den Texten der Universal-Bibliothek.
Die Reihe bietet neben dem Text Worterläuterungen
in Form von Fußnoten und Sacherläuterungen in Form
von Anmerkungen im Anhang, auf die am Rand
mit Pfeilen (↗) verwiesen wird.

Diese Geschichte zu erzählen würde eine müßige Nachahmung sein, wenn sie nicht auf einem wirklichen Vorfall beruhte, zum Beweise, wie tief im Menschenleben jede jener Fabeln wurzelt, auf welche die großen alten Werke gebaut sind. Die Zahl solcher Fabeln ist mäßig; aber stets treten sie in neuem Gewande wieder in die Erscheinung und zwingen alsdann die Hand, sie festzuhalten.

An dem schönen Flusse, der eine halbe Stunde entfernt an Seldwyl vorüberzieht, erhebt sich eine weitgedehnte Erdwelle und verliert sich, selber wohlbebaut, in der fruchtbaren Ebene. Fern an ihrem Fuße liegt ein Dorf, welches manche große Bauernhöfe enthält, und über die sanfte Anhöhe lagen vor Jahren drei prächtige lange Äcker weit hingestreckt gleich drei riesigen Bändern nebeneinander. An einem sonnigen Septembermorgen pflügten zwei Bauern auf zweien dieser Äcker, und zwar auf jedem der beiden äußersten; der mittlere schien seit langen Jahren brach und wüst zu liegen, denn er war mit Steinen und hohem Unkraut bedeckt, und eine Welt von geflügelten Tierchen summte ungestört über ihm. Die Bauern aber, welche zu beiden Seiten hinter ihrem Pfluge gingen, waren lange knochige Männer von ungefähr vierzig Jahren und verkündeten auf den ersten Blick den sichern, gutbesorgten Bauersmann. Sie trugen kurze Kniehosen von starkem Zwillich, an dem jede Falte ihre unveränderliche Lage hatte und wie in Stein gemeißelt aussah. Wenn sie, auf ein Hindernis stoßend, den Pflug fester faßten, so zitterten die groben Hemdärmel von der leichten Erschütterung, indessen die wohlrasierten Gesichter ruhig und aufmerksam, aber ein wenig blinzelnd in den Sonnenschein vor sich hin schauten, die Furche bemaßen oder auch wohl zuweilen sich umsahen, wenn ein fernes Geräusch die Stille des Landes unterbrach. Langsam und mit einer gewissen natürlichen Zierlichkeit setzten sie einen Fuß um den andern vorwärts und keiner sprach ein Wort, außer wenn er etwa dem Knechte, der die stattlichen

1 **müßige:** überflüssige, unnütze | 4 **Fabeln:** Handlungsgerüste literarischer Werke | 17 f. **brach und wüst:** unbestellt, ungenutzt und verwahrlost, verwildert | 23 **gutbesorgten:** wohlhabenden | 24 **Zwillich:** dichtes, strapazierfähiges Baumwoll- oder Leinengewebe

Pferde antrieb, eine Anweisung gab. So glichen sie einander vollkommen in einiger Entfernung; denn sie stellten die ursprüngliche Art dieser Gegend dar, und man hätte sie auf den ersten Blick nur daran unterscheiden können, dass der eine den Zipfel seiner weißen Kappe nach vorn trug, der andere aber hinten im Nacken hängen hatte. Aber das wechselte zwischen ihnen ab, indem sie in der entgegengesetzten Richtung pflügten; denn wenn sie oben auf der Höhe zusammentrafen und aneinander vorüberkamen, so schlug dem, welcher gegen den frischen Ostwind ging, die Zipfelkappe nach hinten über, während sie bei dem andern, der den Wind im Rücken hatte, sich nach vorne sträubte. Es gab auch jedes Mal einen mittlern Augenblick, wo die schimmernden Mützen aufrecht in der Luft schwankten und wie zwei weiße Flammen gen Himmel züngelten. So pflügten beide ruhevoll, und es war schön anzusehen in der stillen goldenen Septembergegend, wenn sie so auf der Höhe aneinander vorbeizogen, still und langsam, und sich mählich voneinander entfernten, immer weiter auseinander, bis beide wie zwei untergehende Gestirne hinter die Wölbung des Hügels hinabgingen und verschwanden, um eine gute Weile darauf wieder zu erscheinen. Wenn sie einen Stein in ihren Furchen fanden, so warfen sie denselben auf den wüsten Acker in der Mitte mit lässig kräftigem Schwunge, was aber nur selten geschah, da derselbe schon fast mit allen Steinen belastet war, welche überhaupt auf den Nachbaräckern zu finden gewesen. So war der lange Morgen zum Teil vergangen, als von dem Dorfe her ein kleines artiges Fuhrwerklein sich näherte, welches kaum zu sehen war, als es begann die gelinde Höhe heranzukommen. Das war ein grün bemaltes Kinderwägelchen, in welchem die Kinder der beiden Pflüger, ein Knabe und ein kleines Ding von Mädchen, gemeinschaftlich den Vormittagsimbiss heranfuhren. Für jeden Teil lag ein schönes Brot, in eine Serviette gewickelt, eine Kanne Wein mit Gläsern und noch irgendein Zutätchen in dem Wagen, welches die zärtliche Bäuerin für den fleißigen Meister mitgesandt, und

---

15 **gen Himmel**: zum Himmel hin | 19 **mählich**: allmählich, nach und nach | 29 **artiges**: ordentliches, solides | 30 f. **die gelinde Höhe heranzukommen**: auf die niedrige Anhöhe heraufzukommen

außerdem waren da noch verpackt allerlei seltsam gestaltete angebissene Äpfel und Birnen, welche die Kinder am Wege aufgelesen, und eine völlig nackte Puppe mit nur einem Bein und einem verschmierten Gesicht, welche wie ein Fräulein zwischen den Broten saß und sich behaglich fahren ließ. Dies Fuhrwerk hielt nach manchem Anstoß und Aufenthalt endlich auf der Höhe im Schatten eines jungen Lindengebüsches, welches da am Rande des Feldes stand, und nun konnte man die beiden Fuhrleute näher betrachten. Es war ein Junge von sieben Jahren und ein Dirnchen von fünfen, beide gesund und munter, und weiter war nichts Auffälliges an ihnen, als dass beide sehr hübsche Augen hatten und das Mädchen dazu noch eine bräunliche Gesichtsfarbe und ganz krause dunkle Haare, welche ihm ein feuriges und treuherziges Ansehen gaben. Die Pflüger waren jetzt auch wieder oben angekommen, steckten den Pferden etwas Klee vor und ließen die Pflüge in der halb vollendeten Furche stehen, während sie als gute Nachbaren sich zu dem gemeinschaftlichen Imbiss begaben und sich da zuerst begrüßten; denn bislang hatten sie sich noch nicht gesprochen an diesem Tage.

Wie nun die Männer mit Behagen ihr Frühstück einnahmen und mit zufriedenem Wohlwollen den Kindern mitteilten, die nicht von der Stelle wichen, solange gegessen und getrunken wurde, ließen sie ihre Blicke in der Nähe und Ferne herumschweifen und sahen das Städtchen räucherig glänzend in seinen Bergen liegen; denn das reichliche Mittagsmahl, welches die Seldwyler alle Tage bereiteten, pflegte ein weithin scheinendes Silbergewölk über ihre Dächer emporzutragen, welches lachend an ihren Bergen hinschwebte.

»Die Lumpenhunde zu Seldwyl kochen wieder gut!«, sagte Manz, der eine der Bauern, und Marti, der andere, erwiderte: »Gestern war einer bei mir wegen des Ackers hier.« »Aus dem Bezirksrat? bei mir ist er auch gewesen!«, sagte Manz. »So? und meinte wahrscheinlich auch, du solltest das Land benutzen und den Herren die Pacht zahlen?«

---

4 f. **wie ein Fräulein:** wie eine Dame von Adel | 10 **Dirnchen:** junges Mädchen | 23 f. **mitteilten:** (von dem Frühstück) abgaben | 37 **Pacht:** Betrag zur Anmietung eines Grundstücks

»Ja, bis es sich entschieden habe, wem der Acker gehöre
und was mit ihm anzufangen sei. Ich habe mich aber be-
dankt, das verwilderte Wesen für einen andern herzustellen,
und sagte, sie sollten den Acker nur verkaufen und den Er-
trag aufheben, bis sich ein Eigentümer gefunden, was wohl
nie geschehen wird; denn was einmal auf der Kanzlei zu
Seldwyl liegt, hat da gute Weile, und überdem ist die Sache
schwer zu entscheiden. Die Lumpen möchten indessen gar
zu gern etwas zu naschen bekommen durch den Pachtzins,
was sie freilich mit der Verkaufssumme auch tun könnten;
allein wir würden uns hüten, dieselbe zu hoch hinaufzutrei-
ben, und wir wüssten dann doch, was wir hätten und wem
das Land gehört!« »Ganz so meine ich auch und habe dem
Steckleinspringer eine ähnliche Antwort gegeben!«

Sie schwiegen eine Weile, dann fing Manz wiederum an:
»Schad ist es aber doch, dass der gute Boden so daliegen
muss, es ist nicht zum Ansehen, das geht nun schon in die
zwanzig Jahre so und keine Seele fragt darnach; denn hier
im Dorf ist niemand, der irgendeinen Anspruch auf den
Acker hat, und niemand weiß auch, wo die Kinder des verdorbenen Trompeters hingekommen sind.«

»Hm!«, sagte Marti, »das wäre so eine Sache! Wenn ich
den schwarzen Geiger ansehe, der sich bald bei den Heimatlosen aufhält, bald in den Dörfern zum Tanz aufspielt,
so möchte ich darauf schwören, dass er ein Enkel des
Trompeters ist, der freilich nicht weiß, dass er noch einen
Acker hat. Was täte er aber damit? Einen Monat lang sich
besaufen und dann nach wie vor! Zudem, wer dürfte da einen Wink geben, da man es doch nicht sicher wissen
kann!«

»Da könnte man eine schöne Geschichte anrichten!«,
antwortete Manz, »wir haben so genug zu tun, diesem Geiger das Heimatsrecht in unserer Gemeinde abzustreiten, da
man uns den Fetzel fortwährend aufhalsen will. Haben sich
seine Eltern einmal unter die Heimatlosen begeben, so mag
er auch dableiben und dem Kesselvolk das Geigelein strei-
chen. Wie in aller Welt können wir wissen, dass er des

Trompeters Sohnessohn ist? Was mich betrifft, wenn ich den Alten auch in dem dunklen Gesicht vollkommen zu erkennen glaube, so sage ich: irren ist menschlich, und das geringste Fetzchen Papier, ein Stücklein von einem Taufschein würde meinem Gewissen besser tun als zehn sündhafte Menschengesichter!«

»Eia, sicherlich!«, sagte Marti, »er sagt zwar, er sei nicht schuld, dass man ihn nicht getauft habe! Aber sollen wir unsern Taufstein tragbar machen und in den Wäldern herumtragen? Nein, er steht fest in der Kirche, und dafür ist die Totenbahre tragbar, die draußen an der Mauer hängt. Wir sind schon übervölkert im Dorf und brauchen bald zwei Schulmeister!«

Hiemit war die Mahlzeit und das Zwiegespräch der Bauern geendet, und sie erhoben sich, den Rest ihrer heutigen Vormittagsarbeit zu vollbringen. Die beiden Kinder hingegen, welche schon den Plan entworfen hatten, mit den Vätern nach Hause zu ziehen, zogen ihr Fuhrwerk unter den Schutz der jungen Linden und begaben sich dann auf einen Streifzug in dem wilden Acker, da derselbe mit seinen Unkräutern, Stauden und Steinhaufen eine ungewohnte und merkwürdige Wildnis darstellte. Nachdem sie in der Mitte dieser grünen Wildnis einige Zeit hingewandert, Hand in Hand, und sich daran belustigt, die verschlungenen Hände über die hohen Distelstauden zu schwingen, ließen sie sich endlich im Schatten einer solchen nieder, und das Mädchen begann seine Puppe mit den langen Blättern des Wegekrautes zu bekleiden, sodass sie einen schönen grünen und ausgezackten Rock bekam; eine einsame rote Mohnblume, die da noch blühte, wurde ihr als Haube über den Kopf gezogen und mit einem Grase festgebunden, und nun sah die kleine Person aus wie eine Zauberfrau, besonders nachdem sie noch ein Halsband und einen Gürtel von kleinen roten Beerchen erhalten. Dann wurde sie hoch in die Stengel der Distel gesetzt und eine Weile mit vereinten Blicken angeschaut, bis der Knabe sie genug besehen und mit einem Steine herunterwarf. Dadurch geriet aber ihr Putz in Un-

---

1 **Sohnessohn:** Enkel | 4 f. **Taufschein:** heute: Geburtsurkunde | 9 **Taufstein:** Taufbecken | 27 f. **Wegekrautes:** Unkrautes auf Weide- und Brachland

ordnung, und das Mädchen entkleidete sie schleunigst, um sie aufs Neue zu schmücken; doch als die Puppe eben wieder nackt und bloß war und nur noch der roten Haube sich erfreuete, entriss der wilde Junge seiner Gefährtin das Spielzeug und warf es hoch in die Luft. Das Mädchen sprang klagend darnach, allein der Knabe fing die Puppe zuerst wieder auf, warf sie aufs Neue empor, und indem das Mädchen sie vergeblich zu haschen sich bemühte, neckte er es auf diese Weise eine gute Zeit. Unter seinen Händen aber nahm die fliegende Puppe Schaden, und zwar am Knie ihres einzigen Beines, allwo ein kleines Loch einige Kleiekörner durchsickern ließ. Kaum bemerkte der Peiniger dies Loch, so verhielt er sich mäuschenstill und war mit offenem Munde eifrig beflissen, das Loch mit seinen Nägeln zu vergrößern und dem Ursprung der Kleie nachzuspüren. Seine Stille erschien dem armen Mädchen höchst verdächtig, und es drängte sich herzu und musste mit Schrecken sein böses Beginnen gewahren. »Sieh mal!«, rief er und schlenkerte ihr das Bein vor der Nase herum, dass ihr die Kleie ins Gesicht flog, und wie sie darnach langen wollte und schrie und flehte, sprang er wieder fort und ruhte nicht eher, bis das ganze Bein dürr und leer herabhing als eine traurige Hülse. Dann warf er das misshandelte Spielzeug hin und stellte sich höchst frech und gleichgültig, als die Kleine sich weinend auf die Puppe warf und dieselbe in ihre Schürze hüllte. Sie nahm sie aber wieder hervor und betrachtete wehselig die Ärmste, und als sie das Bein sah, fing sie abermals an laut zu weinen, denn dasselbe hing an dem Rumpfe nicht anders denn das Schwänzchen an einem Molche. Als sie gar so unbändig weinte, ward es dem Missetäter endlich etwas übel zumut und er stand in Angst und Reue vor der Klagenden, und als sie dies merkte, hörte sie plötzlich auf und schlug ihn einige Mal mit der Puppe, und er tat, als ob es ihm weh täte, und schrie au! so natürlich, dass sie zufrieden war und nun mit ihm gemeinschaftlich die Zerstörung und Zerlegung fortsetzte. Sie bohrten Loch auf Loch in den Marterleib und ließen allerenden die Kleie

---

8 **haschen:** fangen | 11f. **Kleiekörner:** Abfallprodukt beim Mahlen von Getreide | 22f. **als (eine traurige Hülse):** veraltet für »wie« | 37 **allerenden:** überall

entströmen, welche sie sorgfältig auf einem flachen Steine
zu einem Häufchen sammelten, umrührten und aufmerksam betrachteten. Das einzige Feste, was noch an der Puppe bestand, war der Kopf und musste jetzt vorzüglich die
5 Aufmerksamkeit der Kinder erregen; sie trennten ihn sorgfältig los von dem ausgequetschten Leichnam und guckten
erstaunt in sein hohles Innere. Als sie die bedenkliche Höh-
lung sahen und auch die Kleie sahen, war es der nächste
und natürlichste Gedankensprung, den Kopf mit der Kleie
10 auszufüllen, und so waren die Fingerchen der Kinder nun
beschäftigt, um die Wette Kleie in den Kopf zu tun, sodass
zum ersten Mal in seinem Leben etwas in ihm steckte. Der
Knabe mochte es aber immer noch für ein totes Wissen halten, weil er plötzlich eine große blaue Fliege fing und, die
15 Summende zwischen beiden hohlen Händen haltend, dem
Mädchen gebot, den Kopf von der Kleie zu entleeren.
Hierauf wurde die Fliege hineingesperrt und das Loch mit
Gras verstopft. Die Kinder hielten den Kopf an die Ohren
und setzten ihn dann feierlich auf einen Stein; da er noch
20 mit der roten Mohnblume bedeckt war, so glich der Tönen-
de jetzt einem weissagenden Haupte, und die Kinder
lauschten in tiefer Stille seinen Kunden und Märchen, indessen sie sich umschlungen hielten. Aber jeder Prophet er-
weckt Schrecken und Undank; das wenige Leben in dem
25 dürftig geformten Bilde erregte die menschliche Grausam-
keit in den Kindern, und es wurde beschlossen, das Haupt
zu begraben. So machten sie ein Grab und legten den Kopf,
ohne die gefangene Fliege um ihre Meinung zu befragen,
hinein und errichteten über dem Grabe ein ansehnliches
30 Denkmal von Feldsteinen. Dann empfanden sie einiges
Grauen, da sie etwas Geformtes und Belebtes begraben hatten, und entfernten sich ein gutes Stück von der unheimlichen Stätte. Auf einem ganz mit grünen Kräutern bedeckten Plätzchen legte sich das Dirnchen auf den Rücken, da
35 es müde war, und begann in eintöniger Weise einige Worte
zu singen, immer die nämlichen, und der Junge kauerte da-
neben und half, indem er nicht wusste, ob er auch vollends

---

22 **Kunden:** Nachrichten, Mitteilungen | 36 **die nämlichen:**
die gleichen

umfallen solle, so lässig und müßig war er. Die Sonne schien dem singenden Mädchen in den geöffneten Mund, beleuchtete dessen blendendweiße Zähnchen und durchschimmerte die runden Purpurlippen. Der Knabe sah die Zähne, und dem Mädchen den Kopf haltend und dessen Zähnchen neugierig untersuchend, rief er: »Rate, wie viele Zähne hat man?« Das Mädchen besann sich einen Augenblick, als ob es reiflich nachzählte, und sagte dann auf Geratewohl: »Hundert!« »Nein, zweiunddreißig!«, rief er, »wart, ich will einmal zählen!« Da zählte er die Zähne des Kindes, und weil er nicht zweiunddreißig herausbrachte, so fing er immer wieder von neuem an. Das Mädchen hielt lange still, als aber der eifrige Zähler nicht zu Ende kam, raffte es sich auf und rief: »Nun will ich deine zählen!« Nun legte sich der Bursche hin ins Kraut, das Mädchen über ihn, umschlang seinen Kopf, er sperrte das Maul auf, und es zählte: Eins, zwei, sieben, fünf, zwei, eins; denn die kleine Schöne konnte noch nicht zählen. Der Junge verbesserte sie und gab ihr Anweisung, wie sie zählen solle, und so fing auch sie unzählige Mal von neuem an, und das Spiel schien ihnen am besten zu gefallen von allem, was sie heut unternommen. Endlich aber sank das Mädchen ganz auf den kleinen Rechenmeister nieder und die Kinder schliefen ein in der hellen Mittagssonne.

Inzwischen hatten die Väter ihre Äcker fertig gepflügt und in frischduftende braune Fläche umgewandelt. Als nun, mit der letzten Furche zu Ende gekommen, der Knecht des einen halten wollte, rief sein Meister: »Was hältst du? Kehr noch einmal um!« »Wir sind ja fertig!«, sagte der Knecht. »Halt 's Maul und tu, wie ich dir sage!«, der Meister. Und sie kehrten um und rissen eine tüchtige Furche in den mittlern herrenlosen Acker hinein, dass Kraut und Steine flogen. Der Bauer hielt sich aber nicht mit der Beseitigung derselben auf, er mochte denken, hiezu sei noch Zeit genug vorhanden, und er begnügte sich, für heute die Sache nur aus dem Gröbsten zu tun. So ging es rasch die Höhe empor in sanftem Bogen, und als man oben angelangt und das liebliche Windeswehen eben wieder den Kappenzipfel des Mannes zurückwarf, pflügte auf der anderen Seite der Nachbar vorüber, mit dem Zipfel nach vorn, und schnitt ebenfalls eine ansehnliche Furche vom mittlern Acker, dass die Schollen nur so zur Seite flogen. Jeder sah wohl, was der andere tat, aber keiner schien es zu sehen und sie entschwanden sich wieder, indem jedes Sternbild still am andern vorüberging und hinter diese runde Welt hinabtauchte. So gehen die Weberschiffchen des Geschickes aneinander vorbei und »was er webt, das weiß kein Weber!«

Es kam eine Ernte um die andere, und jede sah die Kinder größer und schöner und den herrenlosen Acker schmäler zwischen seinen breit gewordenen Nachbaren. Mit jedem Pflügen verlor er hüben und drüben eine Furche, ohne dass ein Wort darüber gesprochen worden wäre und ohne dass ein Menschenauge den Frevel zu sehen schien. Die Steine wurden immer mehr zusammengedrängt und bildeten schon einen ordentlichen Grat auf der ganzen Länge des Ackers, und das wilde Gesträuch darauf war schon so hoch, dass die Kinder, obgleich sie gewachsen waren, sich nicht mehr sehen konnten, wenn eines dies- und das andere jenseits ging. Denn sie gingen nun nicht mehr gemeinschaftlich auf das Feld, da der zehnjährige Salomon oder Sali, wie er genannt wurde, sich schon wacker auf Seite der größeren Burschen und der Männer hielt; und das braune Vrenchen, obgleich es ein feuriges Dirnchen war, musste bereits unter der Obhut seines Geschlechts gehen, sonst wäre es von den andern als ein Bubenmädchen ausgelacht worden. Dennoch nahmen sie während jeder Ernte, wenn alles auf den Äckern war, einmal Gelegenheit, den wilden Steinkamm, der sie trennte, zu besteigen und sich gegenseitig von demselben herunterzustoßen. Wenn sie auch sonst keinen Verkehr mehr miteinander hatten, so schien diese jährliche Zeremonie umso sorglicher gewahrt zu werden als sonst nirgends die Felder ihrer Väter zusammenstießen.

9 **Weberschiffchen:** beweglicher Teil des Webstuhls zur Textilproduktion | 17 **Frevel:** Vergehen, Rechtsbruch | 19 **Grat:** Bergkamm

Indessen sollte der Acker doch endlich verkauft und der Erlös einstweilen amtlich aufgehoben werden. Die Versteigerung fand an Ort und Stelle statt, wo sich aber nur einige Gaffer einfanden außer den Bauern Manz und Marti, da niemand Lust hatte, das seltsame Stückchen zu erstehen und zwischen den zwei Nachbaren zu bebauen. Denn obgleich diese zu den besten Bauern des Dorfes gehörten und nichts weiter getan hatten als was zwei Drittel der übrigen unter diesen Umständen auch getan haben würden, so sah man sie doch jetzt stillschweigend darum an und niemand wollte zwischen ihnen eingeklemmt sein mit dem geschmälerten Waisenfelde. Die meisten Menschen sind fähig oder bereit, ein in den Lüften umgehendes Unrecht zu verüben, wenn sie mit der Nase darauf stoßen; sowie es aber von einem begangen ist, sind die übrigen froh, dass sie es doch nicht gewesen sind, dass die Versuchung nicht sie betroffen hat, und sie machen nun den Auserwählten zu dem Schlechtigkeitsmesser ihrer Eigenschaften und behandeln ihn mit zarter Scheu als einen Ableiter des Übels, der von den Göttern gezeichnet ist, während ihnen zugleich noch der Mund wässert nach den Vorteilen, die er dabei genossen. Manz und Marti waren also die Einzigen, welche ernstlich auf den Acker boten; nach einem ziemlich hartnäckigen Überbieten erstand ihn Manz und er wurde ihm zugeschlagen. Die Beamten und die Gaffer verloren sich vom Felde; die beiden Bauern, welche sich auf ihren Äckern noch zu schaffen gemacht, trafen beim Weggehen wieder zusammen, und Marti sagte: »Du wirst nun dein Land, das alte und das neue, wohl zusammenschlagen und in zwei gleiche Stücke teilen? Ich hätte es wenigstens so gemacht, wenn ich das Ding bekommen hätte.« »Ich werde es allerdings auch tun«, antwortete Manz, »denn als *ein* Acker würde mir das Stück zu groß sein. Doch was ich sagen wollte: Ich habe bemerkt, dass du neulich noch am untern Ende dieses Ackers, der jetzt mir gehört, schräg hineingefahren bist und ein gutes Dreieck abgeschnitten hast. Du hast es vielleicht getan in der Meinung, du werdest das gan-

---

2 **aufgehoben:** aufbewahrt | 9 f. **sah man sie … darum an:** nahm man es ihnen übel | 12 **Waisenfelde:** Grundstück ohne Besitzer, ohne Eigentümer

ze Stück an dich bringen und es sei dann sowieso dein. Da es nun aber mir gehört, so wirst du wohl einsehen, dass ich eine solche ungehörige Einkrümmung nicht brauchen noch dulden kann, und wirst nichts dagegen haben, wenn ich den Strich wieder grad mache! Streit wird das nicht abgeben sollen!«

Marti erwiderte ebenso kaltblütig als ihn Manz angeredet hatte: »Ich sehe auch nicht, wo Streit herkommen soll! Ich denke, du hast den Acker gekauft, wie er da ist, wir haben ihn alle gemeinschaftlich besehen und er hat sich seit einer Stunde nicht um ein Haar verändert!«

»Larifari!«, sagte Manz, »was früher geschehen, wollen wir nicht aufrühren! Was aber zu viel ist, ist zu viel und alles muss zuletzt eine ordentliche grade Art haben; diese drei Äcker sind von jeher so grade nebeneinander gelegen, wie nach dem Richtscheit gezeichnet; es ist ein ganz absonderlicher Spaß von dir, wenn du nun einen solchen lächerlichen und unvernünftigen Schnörkel dazwischen bringen willst, und wir beide würden einen Übernamen bekommen, wenn wir den krummen Zipfel da bestehen ließen. Er muss durchaus weg!«

Marti lachte und sagte: »Du hast ja auf einmal eine merkwürdige Furcht vor dem Gespötte der Leute! Das lässt sich aber ja wohl machen; mich geniert das Krumme gar nicht; ärgert es dich, gut, so machen wir es grad, aber nicht auf meiner Seite, das geb ich dir schriftlich, wenn du willst!«

»Rede doch nicht so spaßhaft«, sagte Manz, »es wird wohl grad gemacht, und zwar auf deiner Seite, darauf kannst du Gift nehmen!«

»Das werden wir ja sehen und erleben!«, sagte Marti, und beide Männer gingen auseinander, ohne sich weiter anzublicken; vielmehr starrten sie nach verschiedener Richtung ins Blaue hinaus, als ob sie da Wunder was für Merkwürdigkeiten im Auge hätten, die sie betrachten müssten mit Aufbietung aller ihre Geisteskräfte.

Schon am nächsten Tage schickte Manz einen Dienstbuben, ein Tagelöhnermädchen und sein eigenes Söhnchen

---

12 **Larifari!:** Geschwätz! Unsinn! | 16 **Richtscheit:** Maurer- und Schreinerwerkzeug zur Festlegung gerader Linien | 19 **Übernamen:** Spott-, Spitznamen | 27 »**Rede doch nicht so spaßhaft«:** ›Rede doch nicht einen solchen Unsinn‹

Sali auf den Acker hinaus, um das wilde Unkraut und Gestrüpp auszureuten und auf Haufen zu bringen, damit nachher die Steine umso bequemer weggefahren werden könnten. Dies war eine Änderung in seinem Wesen, dass er den kaum eilfjährigen Jungen, der noch zu keiner Arbeit angehalten worden, nun mit hinaussandte, gegen die Einsprache der Mutter. Es schien, da er es mit ernsthaften und gesalbten Worten tat, als ob er mit dieser Arbeitsstrenge gegen sein eigenes Blut das Unrecht betäuben wollte, in dem er lebte und welches nun begann seine Folgen ruhig zu entfalten. Das ausgesandte Völklein jätete inzwischen lustig an dem Unkraut und hackte mit Vergnügen an den wunderlichen Stauden und Pflanzen allerart, die da seit Jahren wucherten. Denn da es eine außerordentliche, gleichsam wilde Arbeit war, bei der keine Regel und keine Sorgfalt erheischt wurde, so galt sie als eine Lust. Das wilde Zeug, an der Sonne gedörrt, wurde aufgehäuft und mit großem Jubel verbrannt, dass der Qualm weithin sich verbreitete und die jungen Leutchen darin herumsprangen wie besessen. Dies war das letzte Freudenfest auf dem Unglücksfelde, und das junge Vrenchen, Martis Tochter, kam auch hinausgeschlichen und half tapfer mit. Das Ungewöhnliche dieser Begebenheit und die lustige Aufregung gaben einen guten Anlass, sich seinem kleinen Jugendgespielen wieder einmal zu nähern, und die Kinder waren recht glücklich und munter bei ihrem Feuer. Es kamen noch andere Kinder hinzu und es sammelte sich eine ganze vergnügte Gesellschaft; doch immer, sobald sie getrennt wurden, suchte Sali alsobald wieder neben Vrenchen zu gelangen, und dieses wusste desgleichen immer vergnügt lächelnd zu ihm zu schlüpfen, und es war beiden Kreaturen, wie wenn dieser herrliche Tag nie enden müsste und könnte. Doch der alte Manz kam gegen Abend herbei, um zu sehen, was sie ausgerichtet, und obgleich sie fertig waren, so schalt er doch ob dieser Lustbarkeit und scheuchte die Gesellschaft auseinander. Zugleich zeigte sich Marti auf seinem Grund und Boden und, seine Tochter gewahrend, pfiff er derselben schrill und ge-

---

bieterisch durch den Finger, dass sie erschrocken hineilte,
und er gab ihr, ohne zu wissen warum, einige Ohrfeigen,
also dass beide Kinder in großer Traurigkeit und weinend
nach Hause gingen, und sie wussten jetzt eigentlich so wenig, warum sie so traurig waren, als warum sie vorhin so
vergnügt gewesen; denn die Rauheit der Väter, an sich
ziemlich neu, war von den arglosen Geschöpfen noch nicht
begriffen und konnte sie nicht tiefer bewegen.

Die nächsten Tage war es schon eine härtere Arbeit, zu
welcher Mannsleute gehörten, als Manz die Steine aufnehmen und wegfahren ließ. Es wollte kein Ende nehmen, und
alle Steine der Welt schienen da beisammen zu sein. Er ließ
sie aber nicht ganz vom Felde wegbringen, sondern jede
Fuhre auf jenem streitigen Dreiecke abwerfen, welches von
Marti schon säuberlich umgepflügt war. Er hatte vorher einen graden Strich gezogen als Grenzscheide und belastete
nun dies Fleckchen Erde mit allen Steinen, welche beide
Männer seit unvordenklichen Zeiten herübergeworfen, sodass eine gewaltige Pyramide entstand, die wegzubringen
sein Gegner bleiben lassen würde, dachte er. Marti hatte
dies am wenigsten erwartet; er glaubte, der andere werde
nach alter Weise mit dem Pfluge zu Werke gehen wollen,
und hatte daher abgewartet, bis er ihn als Pflüger auszie-
hen sähe. Erst als die Sache schon beinahe fertig, hörte er
von dem schönen Denkmal, welches Manz da errichtet,
rannte voll Wut hinaus, sah die Bescherung, rannte zurück
und holte den Gemeindeammann, um vorläufig gegen den
Steinhaufen zu protestieren und den Fleck gerichtlich in
Beschlag nehmen zu lassen, und von diesem Tage an lagen
die zwei Bauern im Prozess miteinander und ruhten nicht,
ehe sie beide zugrunde gerichtet waren.

Die Gedanken der sonst so wohlweisen Männer waren
nun so kurz geschnitten wie Häcksel; der beschränkteste
Rechtssinn von der Welt erfüllte jeden von ihnen, indem
keiner begreifen konnte noch wollte, wie der andere so offenbar unrechtmäßig und willkürlich den fraglichen unbe-
deutenden Ackerzipfel an sich reißen könne. Bei Manz kam

---

14 **streitigen**: umstrittenen | 16 **Grenzscheide**: Grenzlinie, Grenze
zum Nachbaracker | 27 **Gemeindeammann**: Bürgermeister, Ortsvor-
steher | 33 **Häcksel**: Schnittstroh als Viehfutter

noch ein wunderbarer Sinn für Symmetrie und parallele Linien hinzu, und er fühlte sich wahrhaft gekränkt durch den aberwitzigen Eigensinn, mit welchem Marti auf dem Dasein des unsinnigsten und mutwilligsten Schnörkels beharrte. Beide aber trafen zusammen in der Überzeugung, dass der andere, den andern so frech und plump übervorteilend, ihn notwendig für einen verächtlichen Dummkopf halten müsse, da man dergleichen etwa einem armen haltlosen Teufel, nicht aber einem aufrechten, klugen und wehrhaften Manne gegenüber sich erlauben könne, und jeder sah sich in seiner wunderlichen Ehre gekränkt und gab sich rückhaltlos der Leidenschaft des Streites und dem daraus erfolgenden Verfalle hin, und ihr Leben glich fortan der träumerischen Qual zweier Verdammten, welche, auf einem schmalen Brette einen dunklen Strom hinabtreibend, sich befehden, in die Luft hauen und sich selber anpacken und vernichten, in der Meinung, sie hätten ihr Unglück gefasst. Da sie eine faule Sache hatten, so gerieten beide in die allerschlimmsten Hände von Tausendkünstlern, welche ihre verdorbene Phantasie auftrieben zu ungeheuren Blasen, die mit den nichtsnutzigsten Dingen angefüllt wurden. Vorzüglich waren es die Spekulanten aus der Stadt Seldwyla, welchen dieser Handel ein gefundenes Essen war, und bald hatte jeder der Streitenden einen Anhang von Unterhändlern, Zuträgern und Ratgebern hinter sich, die alles bare Geld auf hundert Wegen abzuziehen wussten. Denn das Fleckchen Erde mit dem Steinhaufen darüber, auf welchem bereits wieder ein Wald von Nesseln und Disteln blühte, war nur noch der erste Keim oder der Grundstein einer verworrenen Geschichte und Lebensweise, in welcher die zwei Fünfzigjährigen noch neue Gewohnheiten und Sitten, Grundsätze und Hoffnungen annahmen als sie bisher geübt. Je mehr Geld sie verloren, desto sehnsüchtiger wünschten sie welches zu haben, und je weniger sie besaßen, desto hartnäckiger dachten sie reich zu werden und es dem andern zuvorzutun. Sie ließen sich zu jedem Schwindel verleiten und setzten auch jahraus jahrein in alle frem-

---

3 **aberwitzigen**: völlig unvernünftigen | 26 **abzuziehen**: abzukassieren

den Lotterien, deren Lose massenhaft in Seldwyla zirku-
lierten. Aber nie bekamen sie einen Taler Gewinn zu Gesicht, sondern hörten nur immer vom Gewinnen anderer
Leute und wie sie selbst beinahe gewonnen hätten, indessen
5 diese Leidenschaft ein regelmäßiger Geldabfluss für sie war.
Bisweilen machten sich die Seldwyler den Spaß, beide Bauern, ohne ihr Wissen, am gleichen Lose teilnehmen zu lassen, sodass beide die Hoffnung auf Unterdrückung und
Vernichtung des andern auf ein und dasselbe Los setzten.
10 Sie brachten die Hälfte ihrer Zeit in der Stadt zu, wo jeder
in einer Spelunke sein Hauptquartier hatte, sich den Kopf
heiß machen und zu den lächerlichsten Ausgaben und einem elenden und ungeschickten Schlemmen verleiten ließ,
bei welchem ihm heimlich doch selber das Herz blutete,
15 also dass beide, welche eigentlich nur in diesem Hader lebten, um für keine Dummköpfe zu gelten, nun solche von
der besten Sorte darstellten und von jedermann dafür angesehen wurden. Die andere Hälfte der Zeit lagen sie verdros-
sen zu Hause oder gingen ihrer Arbeit nach, wobei sie
20 dann durch ein tolles böses Überhasten und Antreiben das
Versäumte einzuholen suchten und damit jeden ordentlichen und zuverlässigen Arbeiter verscheuchten. So ging es
gewaltig rückwärts mit ihnen, und ehe zehn Jahre vorüber,
steckten sie beide von Grund aus in Schulden und standen
25 wie die Störche auf einem Beine auf der Schwelle ihrer Be-
sitztümer, von der jeder Lufthauch sie herunterwehte. Aber
wie es ihnen auch erging, der Hass zwischen ihnen wurde
täglich größer, da jeder den andern als den Urheber seines
Unsterns betrachtete, als seinen Erbfeind und ganz unver-
30 nünftigen Widersacher, den der Teufel absichtlich in die
Welt gesetzt habe, um ihn zu verderben. Sie spien aus,
wenn sie sich nur von weitem sahen; kein Glied ihres Hauses durfte mit Frau, Kind oder Gesinde des andern ein
Wort sprechen, bei Vermeidung der gröbsten Misshand-
35 lung. Ihre Weiber verhielten sich verschieden bei dieser
Verarmung und Verschlechterung des ganzen Wesens. Die
Frau des Marti, welche von guter Art war, hielt den Verfall

---

2 **Taler:** Großsilbermünze, alte europäische Währung | 11 **Spelunke:**
Wirtshaus, Kneipe von schlechtem Ruf | 15 **Hader:** Zank, Streit |
29 **Unsterns:** Unglücks, Missgeschicks | 33 **Gesinde:** Knechte und
Mägde, Dienerschaft

nicht aus, härmte sich ab und starb, ehe ihre Tochter vierzehn Jahre alt war. Die Frau des Manz hingegen bequemte sich der veränderten Lebensweise an, und um sich als eine schlechte Genossin zu entfalten, hatte sie nichts zu tun als einigen weiblichen Fehlern, die ihr von jeher angehaftet, den Zügel schießen zu lassen und dieselben zu Lastern auszubilden. Ihre Naschhaftigkeit wurde zu wilder Begehrlichkeit, ihre Zungenfertigkeit zu einem grundfalschen und verlogenen Schmeichel- und Verleumdungswesen, mit welchem sie jeden Augenblick das Gegenteil von dem sagte, was sie dachte, alles hintereinander hetzte und ihrem eigenen Manne ein X für ein U vormachte; ihre ursprüngliche Offenheit, mit der sie sich der unschuldigeren Plauderei erfreut, ward nun zur abgehärteten Schamlosigkeit, mit der sie jenes falsche Wesen betrieb, und so, statt unter ihrem Manne zu leiden, drehte sie ihm eine Nase; wenn er es arg trieb, so machte sie es bunt, ließ sich nichts abgehen und gedieh zu der dicksten Blüte einer Vorsteherin des zerfallenden Hauses.

So war es nun schlimm bestellt um die armen Kinder, welche weder eine gute Hoffnung für ihre Zukunft fassen konnten noch sich auch nur einer lieblich frohen Jugend erfreuten, da überall nichts als Zank und Sorge war. Vrenchen hatte anscheinend einen schlimmern Stand als Sali, da seine Mutter tot und es einsam in einem wüsten Hause der Tyrannei eines verwilderten Vaters anheim gegeben war. Als es sechzehn Jahre zählte, war es schon ein schlank gewachsenes, ziervolles Mädchen; seine dunkelbraunen Haare ringelten sich unablässig fast bis über die blitzenden braunen Augen, dunkelrotes Blut durchschimmerte die Wangen des bräunlichen Gesichtes und glänzte als tiefer Purpur auf den frischen Lippen, wie man es selten sah und was dem dunklen Kinde ein eigentümliches Ansehen und Kennzeichen gab. Feurige Lebenslust und Fröhlichkeit zitterte in jeder Fiber dieses Wesens; es lachte und war aufgelegt zu Scherz und Spiel, wenn das Wetter nur im mindesten lieblich war, d.h. wenn es nicht zu sehr gequält wurde und

---

1 **härmte sich ab:** rieb sich vor Sorgen auf | 35 **Fiber:** Faser

nicht zu viel Sorgen ausstand. Diese plagten es aber häufig genug; denn nicht nur hatte es den Kummer und das wachsende Elend des Hauses mitzutragen, sondern es musste noch sich selber in Acht nehmen und mochte sich gern halbwegs ordentlich und reinlich kleiden, ohne dass der Vater ihm die geringsten Mittel dazu geben wollte. So hatte Vrenchen die größte Not, ihre anmutige Person einigermaßen auszustaffieren, sich ein allerbescheidenstes Sonntagskleid zu erobern und einige bunte, fast wertlose Halstüchelchen zusammenzuhalten. Darum war das schöne wohlgemute junge Blut in jeder Weise gedemütigt und gehemmt und konnte am wenigsten der Hoffart anheimfallen. Überdies hatte es bei schon erwachendem Verstande das Leiden und den Tod seiner Mutter gesehen, und dies Andenken war ein weiterer Zügel, der seinem lustigen und feurigen Wesen angelegt war, sodass es nun höchst lieblich, unbedenklich und rührend sich ansah, wenn trotz alledem das gute Kind bei jedem Sonnenblick sich ermunterte und zum Lächeln bereit war.

Sali erging es nicht so hart auf den ersten Anschein; denn er war nun ein hübscher und kräftiger junger Bursche, der sich zu wehren wusste und dessen äußere Haltung wenigstens eine schlechte Behandlung von selbst unzulässig machte. Er sah wohl die üble Wirtschaft seiner Eltern und glaubte sich erinnern zu können, dass es einst nicht so gewesen; ja er bewahrte noch das frühere Bild seines Vaters wohl in seinem Gedächtnisse als eines festen, klugen und ruhigen Bauers, desselben Mannes, den er jetzt als einen grauen Narren, Händelführer und Müßiggänger vor sich sah, der mit Toben und Prahlen auf hundert törichten und verfänglichen Wegen wandelte und mit jeder Stunde rückwärts ruderte wie ein Krebs. Wenn ihm nun dies missfiel und ihn oft mit Scham und Kummer erfüllte, während es seiner Unerfahrenheit nicht klar war, wie die Dinge so gekommen, so wurden seine Sorgen wieder betäubt durch die Schmeichelei, mit der ihn die Mutter behandelte. Denn um in ihrem Unwesen ungestörter zu sein und einen guten Parteigänger

---

8 **auszustaffieren:** auszustatten, auszuschmücken | 12 **Hoffart:** übersteigerter Stolz, Hochmut | 29 **Händelführer:** streitsüchtiger Mann

zu haben, auch um ihrer Großtuerei zu genügen, ließ sie ihm zukommen, was er wünschte, kleidete ihn sauber und prahlerisch und unterstützte ihn in allem, was er zu seinem Vergnügen vornahm. Er ließ sich dies gefallen ohne viel Dankbarkeit, da ihm die Mutter viel zu viel dazu schwatzte und log; und indem er so wenig Freude daran empfand, tat er lässig und gedankenlos, was ihm gefiel, ohne dass dies jedoch etwas Übles war, weil er für jetzt noch unbeschädigt war von dem Beispiele der Alten und das jugendliche Bedürfnis fühlte, im Ganzen einfach, ruhig und leidlich tüchtig zu sein. Er war ziemlich genau so, wie sein Vater in diesem Alter gewesen war, und dieses flößte demselben eine unwillkürliche Achtung vor dem Sohne ein, in welchem er mit verwirrtem Gewissen und gepeinigter Erinnerung seine eigene Jugend achtete. Trotz dieser Freiheit, welche Sali genoss, ward er seines Lebens doch nicht froh und fühlte wohl, wie er nichts Rechtes vor sich hatte und ebenso wenig etwas Rechtes lernte, da von einem zusammenhängenden und vernunftgemäßen Arbeiten in Manzens Hause längst nicht mehr die Rede war. Sein bester Trost war daher, stolz auf seine Unabhängigkeit und einstweilige Unbescholtenheit zu sein, und in diesem Stolze ließ er die Tage trotzig verstreichen und wandte die Augen von der Zukunft ab.

Der einzige Zwang, dem er unterworfen, war die Feindschaft seines Vaters gegen alles, was Marti hieß und an diesen erinnerte. Doch wusste er nichts anderes, als dass Marti seinem Vater Schaden zugefügt und dass man in dessen Hause ebenso feindlich gesinnt sei, und es fiel ihm daher nicht schwer, weder den Marti noch seine Tochter anzusehen und seinerseits auch einen angehenden, doch ziemlich zahmen Feind vorzustellen. Vrenchen hingegen, welches mehr erdulden musste als Sali und in seinem Hause viel verlassener war, fühlte sich weniger zu einer förmlichen Feindschaft aufgelegt und glaubte sich nur verachtet von dem wohlgekleideten und scheinbar glücklicheren Sali; deshalb verbarg sie sich vor ihm, und wenn er irgendwo nur in

der Nähe war, so entfernte sie sich eilig, ohne dass er sich
die Mühe gab, ihr nachzublicken. So kam es, dass er das
Mädchen schon seit ein paar Jahren nicht mehr in der Nähe
gesehen und gar nicht wusste, wie es aussah, seit es heran-
gewachsen. Und doch wunderte es ihn zuweilen ganz gewaltig, und wenn überhaupt von den Martis gesprochen
wurde, so dachte er unwillkürlich nur an die Tochter, deren
jetziges Aussehen ihm nicht deutlich und deren Andenken
ihm gar nicht verhasst war.

Doch war sein Vater Manz nun der Erste von den beiden
Feinden, der sich nicht mehr halten konnte und von Haus
und Hof springen musste. Dieser Vortritt rührte daher, dass
er eine Frau besaß, die ihm geholfen, und einen Sohn, der
doch auch einiges mit brauchte, während Marti der einzige
Verzehrer war in seinem wackeligen Königreich, und seine
Tochter durfte wohl arbeiten wie ein Haustierchen, aber
nichts gebrauchen. Manz aber wusste nichts anderes anzufangen, als auf den Rat seiner Seldwyler Gönner in die
Stadt zu ziehen und da sich als Wirt aufzutun. Es ist immer
betrüblich anzusehen, wenn ein ehemaliger Landmann, der
auf dem Felde alt geworden ist, mit den Trümmern seiner
Habe in eine Stadt zieht und da eine Schenke oder Kneipe
auftut, um als letzten Rettungsanker den freundlichen und
gewandten Wirt zu machen, während es ihm nichts weniger
als freundlich zumut ist. Als die Manzen vom Hofe zogen,
sah man erst, wie arm sie bereits waren; denn sie luden lauter alten und zerfallenden Hausrat auf, dem man es ansah,
dass seit vielen Jahren nichts erneuert und angeschafft worden war. Die Frau legte aber nichtsdestominder ihren besten Staat an, als sie sich oben auf die Gerümpelfuhre setzte,
und machte ein Gesicht voller Hoffnungen, als künftige
Stadtfrau schon mit Verachtung auf die Dorfgenossen her-
absehend, welche voll Mitleid hinter den Hecken hervor
dem bedenklichen Zuge zuschauten. Denn sie nahm sich
vor, mit ihrer Liebenswürdigkeit und Klugheit die ganze
Stadt zu bezaubern, und was ihr versimpelter Mann nicht
machen könne, das wolle sie schon ausrichten, wenn sie

11f. **von Haus und Hof springen musste:** seinen Grundbesitz aufgeben musste

nur erst einmal als Frau Wirtin in einem stattlichen Gasthofe säße. Dieser Gasthof bestand aber in einer trübseligen Winkelschenke in einem abgelegenen schmalen Gässchen, auf der eben ein anderer zugrunde gegangen war und welche die Seldwyler dem Manz verpachteten, da er noch einige hundert Taler einzuziehen hatte. Sie verkauften ihm auch ein paar Fässchen angemachten Weines und das Wirtschaftsmobiliar, das aus einem Dutzend weißen geringen Flaschen, ebenso viel Gläsern und einigen tannenen Tischen und Bänken bestand, welche einst blutrot angestrichen gewesen und jetzt vielfältig abgescheuert waren. Vor dem Fenster knarrte ein eiserner Reifen in einem Haken, und in dem Reifen schenkte eine blecherne Hand Rotwein aus einem Schöppchen in ein Glas. Überdies hing ein verdorrter Busch von Stechpalme über der Haustüre, was Manz alles mit in die Pacht bekam. Um deswillen war er nicht so wohlgemut wie seine Frau, sondern trieb mit schlimmer Ahnung und voll Ingrimm die mageren Pferde an, welche er vom neuen Bauern geliehen. Das letzte schäbige Knechtchen, das er gehabt, hatte ihn schon seit einigen Wochen verlassen. Als er solcherweise abfuhr, sah er wohl, wie Marti voll Hohn und Schadenfreude sich unfern der Straße zu schaffen machte, fluchte ihm und hielt denselben für den alleinigen Urheber seines Unglückes. Sali aber, sobald das Fuhrwerk im Gange war, beschleunigte seine Schritte, eilte voraus und ging allein auf Seitenwegen nach der Stadt.

»Da wären wir!«, sagte Manz, als die Fuhre vor dem Spelunkelein anhielt. Die Frau erschrak darüber, denn das war in der Tat ein trauriger Gasthof. Die Leute traten eilfertig unter die Fenster und vor die Häuser, um sich den neuen Bauernwirt anzusehen, und machten mit ihrer Seldwyler Überlegenheit mitleidig spöttische Gesichter. Zornig und mit nassen Augen kletterte die Manzin vom Wagen herunter und lief, ihre Zunge vorläufig wetzend, in das Haus, um sich heute vornehm nicht wieder blicken zu lassen; denn sie schämte sich des schlechten Gerätes und der verdorbenen

---

7 **angemachten**: gepanschten, (mit Wasser) verdünnten | 14 **Schöppchen**: Schoppen, Messbehälter für Getränke

Betten, welche nun abgeladen wurden. Sali schämte sich auch, aber er musste helfen und machte mit seinem Vater einen seltsamen Verlag in dem Gässchen, auf welchem alsbald die Kinder der Falliten herumsprangen und sich über das verlumpte Bauernpack lustig machten. Im Hause aber sah es noch trübseliger aus, und es glich einer vollkommenen Räuberhöhle. Die Wände waren schlecht geweißtes, feuchtes Mauerwerk, außer der dunklen, unfreundlichen Gaststube mit ihren ehemals blutroten Tischen waren nur noch ein paar schlechte Kämmerchen da, und überall hatte der ausgezogene Vorgänger den trostlosesten Schmutz und Kehricht zurückgelassen.

So war der Anfang, und so ging es auch fort. Während der ersten Wochen kamen, besonders am Abend, wohl hin und wieder ein Tisch voll Leute aus Neugierde, den Bauernwirt zu sehen und ob es da vielleicht einigen Spaß absetzte. Am Wirt hatten sie nicht viel zu betrachten, denn Manz war ungelenk, starr, unfreundlich und melancholisch und wusste sich gar nicht zu benehmen, wollte es auch nicht wissen. Er füllte langsam und ungeschickt die Schöppchen, stellte sie mürrisch vor die Gäste und versuchte etwas zu sagen, brachte aber nichts heraus. Desto eifriger warf sich nun seine Frau ins Geschirr und hielt die Leute wirklich einige Tage zusammen, aber in einem ganz andern Sinne als sie meinte. Die ziemlich dicke Frau hatte sich eine eigene Haustracht zusammengesetzt, in der sie unwiderstehlich zu sein glaubte. Zu einem leinenen ungefärbten Landrock trug sie einen alten grünseidenen Spenser, eine baumwollene Schürze und einen schlimmen weißen Halskragen. Von ihrem nicht mehr dichten Haar hatte sie an den Schläfen possierliche Schnecken gewickelt und in das Zöpfchen hinten einen hohen Kamm gesteckt. So schwänzelte und tänzelte sie mit angestrengter Anmut herum, spitzte lächerlich das Maul, dass es süß aussehen sollte, hüpfte elastisch an die Tische hin, und das Glas oder den Teller mit gesalzenem Käse hinsetzend, sagte sie lächelnd: »So, so? so, soli! herrlich, herrlich, ihr Herren!« und sol-

---

3 **Verlag:** hier ironisch: Warenhandel | 4 **Falliten:** zahlungsunfähige Personen | 12 **Kehricht:** zusammengekehrter Abfall | 28 **Spenser:** kurzes, enganliegendes Jäckchen | 29 **schlimmen:** hier: schief, verkehrt sitzenden | 37 **soli:** so

ches dummes Zeug mehr; denn obwohl sie sonst eine geschliffene Zunge hatte, so wusste sie jetzt doch nichts Gescheites vorzubringen, da sie fremd war und die Leute nicht kannte. Die Seldwyler von der schlechtesten Sorte, die da hockten, hielten die Hand vor den Mund, wollten vor Lachen ersticken, stießen sich unter dem Tisch mit den Füßen und sagten: »Potz tausig! das ist ja eine Herrliche!« »Eine Himmlische!«, sagte ein anderer, »beim ewigen Hagel! es ist der Mühe wert, hierherzukommen, so eine haben wir lang nicht gesehen!« Ihr Mann bemerkte das wohl mit finsterm Blicke; er gab ihr einen Stoß in die Rippen und flüsterte: »Du alte Kuh! Was machst du denn?« »Störe mich nicht«, sagte sie unwillig, »du alter Tolpatsch! siehst du nicht, wie ich mir Mühe gebe und mit den Leuten umzugehen weiß? Das sind aber nur Lumpen von deinem Anhang! Lass mich nur machen, ich will bald fürnehmere Kundschaft hier haben!« Dies alles war beleuchtet von einem oder zwei dünnen Talglichten; Sali, der Sohn, aber ging hinaus in die dunkle Küche, setzte sich auf den Herd und weinte über Vater und Mutter.

Die Gäste hatten aber das Schauspiel bald satt, welches ihnen die gute Frau Manz gewährte, und blieben wieder, wo es ihnen wohler war und sie über die wunderliche Wirtschaft lachen konnten; nur dann und wann erschien ein Einzelner, der ein Glas trank und die Wände angähnte, oder es kam ausnahmsweise eine ganze Bande, die armen Leute mit einem vorübergehenden Trubel und Lärm zu täuschen. Es ward ihnen angst und bange in dem engen Mauerwinkel, wo sie kaum die Sonne sahen, und Manz, welcher sonst gewohnt war, tagelang in der Stadt zu liegen, fand es jetzt unerträglich zwischen diesen Mauern. Wenn er an die freie Weite der Felder dachte, so stierte er finster brütend an die Decke oder auf den Boden, lief unter die enge Haustüre und wieder zurück, da die Nachbaren den bösen Wirt, wie sie ihn schon nannten, angafften. Nun dauerte es aber nicht mehr lange, und sie verarmten gänzlich und hatten gar nichts mehr in der Hand; sie mussten, um

---

7 **Potz tausig!**: Potztausend! (Ausruf des Erstaunens) | 16 **fürnehmere:** vornehmere | 18 **Talglichten:** aus Rinderfett hergestellte Kerzen

etwas zu essen, warten, bis einer kam und für wenig Geld etwas von dem noch vorhandenen Wein verzehrte, und wenn er eine Wurst oder dergleichen begehrte, so hatten sie oft die größte Angst und Sorge, dieselbe beizutreiben. Bald hatten sie auch den Wein nur noch in einer großen Flasche verborgen, die sie heimlich in einer anderen Kneipe füllen ließen, und so sollten sie nun die Wirte machen ohne Wein und Brot und freundlich sein, ohne ordentlich gegessen zu haben. Sie waren beinahe froh, wenn nur niemand kam, und hockten so in ihrem Kneipchen, ohne leben noch sterben zu können. Als die Frau diese traurigen Erfahrungen machte, zog sie den grünen Spenser wieder aus und nahm abermals eine Veränderung vor, indem sie nun, wie früher die Fehler, so nun einige weibliche Tugenden aufkommen ließ und mehr ausbildete, da Not an den Mann ging. Sie übte Geduld und suchte den Alten aufrecht zu halten und den Jungen zum Guten anzuweisen; sie opferte sich vielfältig in allerlei Dingen, kurz, sie übte in ihrer Weise eine Art von wohltätigem Einfluss, der zwar nicht weit reichte und nicht viel besserte, aber immerhin besser war als gar nichts oder als das Gegenteil und die Zeit wenigstens verbringen half, welche sonst viel früher hätte brechen müssen für diese Leute. Sie wusste manchen Rat zu geben nunmehr in erbärmlichen Dingen, nach ihrem Verstande, und wenn der Rat nichts zu taugen schien und fehlschlug, so ertrug sie willig den Grimm der Männer, kurzum, sie tat jetzt alles, da sie alt war, was besser gedient hätte, wenn sie es früher geübt.

Um wenigstens etwas Beißbares zu erwerben und die Zeit zu verbringen, verlegten sich Vater und Sohn auf die Fischerei, das heißt mit der Angelrute, soweit es für jeden erlaubt war, sie in den Fluss zu hängen. Dies war auch eine Hauptbeschäftigung der Seldwyler, nachdem sie falliert hatten. Bei günstigem Wetter, wenn die Fische gern anbissen, sah man sie dutzendweise hinauswandern mit Rute und Eimer, und wenn man an den Ufern des Flusses wandelte, hockte alle Spanne lang einer, der angelte, der eine in

---

4 **beizutreiben:** zu beschaffen | 33 **nachdem sie falliert hatten:** nachdem sie Konkurs gemacht hatten | 37 **Spanne:** alte Längeneinheit, etwa 20–25 cm

einem langen braunen Bürgerrock, die bloßen Füße im Wasser, der andere in einem spitzen blauen Frack auf einer alten Weide stehend, den alten Filz schief auf dem Ohre; weiterhin angelte gar einer im zerrissenen großblumigen Schlafrock, da er keinen andern mehr besaß, die lange Pfeife in der einen, die Rute in der anderen Hand, und wenn man um eine Krümmung des Flusses bog, stand ein alter kahlköpfiger Dickbauch faselnackt auf einem Stein und angelte; dieser hatte, trotz des Aufenthaltes am Wasser, so schwarze Füße, dass man glaubte, er habe die Stiefel anbehalten. Jeder hatte ein Töpfchen oder ein Schächtelchen neben sich, in welchem Regenwürmer wimmelten, nach denen sie zu andern Stunden zu graben pflegten. Wenn der Himmel mit Wolken bezogen und es ein schwüles dämmeriges Wetter war, welches Regen verkündete, so standen diese Gestalten am zahlreichsten an dem ziehenden Strome, regungslos gleich einer Galerie von Heiligen- oder Prophetenbildern. Achtlos zogen die Landleute mit Vieh und Wagen an ihnen vorüber, und die Schiffer auf dem Flusse sahen sie nicht an, während sie leise murrten über die störenden Schiffe.

Wenn man Manz vor zwölf Jahren, als er mit einem schönen Gespann pflügte auf dem Hügel über dem Ufer, geweissagt hätte, er würde sich einst zu diesen wunderlichen Heiligen gesellen und gleich ihnen Fische fangen, so wäre er nicht übel aufgefahren. Auch eilte er jetzt hastig an ihnen vorüber hinter ihren Rücken und eilte stromaufwärts gleich einem eigensinnigen Schatten der Unterwelt, der sich zu seiner Verdammnis ein bequemes einsames Plätzchen sucht an den dunklen Wässern. Mit der Angelrute zu stehen hatten er und sein Sohn indessen keine Geduld und sie erinnerten sich der Art, wie die Bauern auf manche andere Weise etwa Fische fangen, wenn sie übermütig sind, besonders mit den Händen in den Bächen; daher nahmen sie die Ruten nur zum Schein mit und gingen an den Borden der Bäche hinauf, wo sie wussten, dass es teure und gute Forellen gab.

---

8 **faselnackt:** völlig nackt | 35 **Borden:** Ufern

Dem auf dem Lande zurückgebliebenen Marti ging es inzwischen auch immer schlimmer und es war ihm höchst langweilig dabei, sodass er, anstatt auf seinem vernachlässigten Felde zu arbeiten, ebenfalls auf das Fischen verfiel und tagelang im Wasser herumplätscherte. Vrenchen durfte nicht von seiner Seite und musste ihm Eimer und Gerät nachtragen durch nasse Wiesengründe, durch Bäche und Wassertümpel allerart, bei Regen und Sonnenschein, indessen sie das Notwendigste zu Hause liegen lassen musste. Denn es war sonst keine Seele mehr da und wurde auch keine gebraucht, da Marti das meiste Land schon verloren hatte und nur noch wenige Äcker besaß, die er mit seiner Tochter liederlich genug oder gar nicht bebaute.

So kam es, dass, als er eines Abends einen ziemlich tiefen und reißenden Bach entlangging, in welchem die Forellen fleißig sprangen, da der Himmel voll Gewitterwolken hing, er unverhofft auf seinen Feind Manz traf, der an dem andern Ufer daherkam. Sobald er ihn sah, stieg ein schrecklicher Groll und Hohn in ihm auf; sie waren sich seit Jahren nicht so nahe gewesen, ausgenommen vor den Gerichtsschranken, wo sie nicht schelten durften, und Marti rief jetzt voll Grimm: »Was tust du hier, du Hund? Kannst du nicht in deinem Lotterneste bleiben, du Seldwyler Lumpenhund?«

»Wirst nächstens wohl auch ankommen, du Schelm!«, rief Manz. »Fische fängst du ja auch schon und wirst deshalb nicht viel mehr zu versäumen haben!«

»Schweig, du Galgenhund!«, schrie Marti, da hier die Wellen des Baches stärker rauschten, »du hast mich ins Unglück gebracht!« Und da jetzt auch die Weiden am Bache gewaltig zu rauschen anfingen im aufgehenden Wetterwind, so musste Manz noch lauter schreien: »Wenn dem nur so wäre, so wollte ich mich freuen, du elender Tropf!« »O du Hund!«, schrie Marti herüber und Manz hinüber: »O du Kalb, wie dumm tust du!« Und jener sprang wie ein Tiger den Bach entlang und suchte herüberzukommen. Der Grund, warum er der Wütendere war, lag in seiner Mei-

---

23 **Lotterneste:** Ort von Faulenzern und Herumtreibern | 25 **Schelm:** ehrlose Person, Betrüger | 33 **Tropf:** Person von geringer Intelligenz, einfältiger Mensch

nung, dass Manz als Wirt wenigstens genug zu essen und
zu trinken hätte und gewissermaßen ein kurzweiliges Leben führe, während es ungerechterweise ihm so langweilig
wäre auf seinem zertrümmerten Hofe. Manz schritt indessen auch grimmig genug an der anderen Seite hin; hinter
ihm sein Sohn, welcher, statt auf den bösen Streit zu hören,
neugierig und verwundert nach Vrenchen hinübersah, welche hinter ihrem Vater ging, vor Scham in die Erde sehend,
dass ihr die braunen krausen Haare ins Gesicht fielen. Sie
trug einen hölzernen Fischeimer in der einen Hand, in der
anderen hatte sie Schuh und Strümpfe getragen und ihr
Kleid der Nässe wegen aufgeschürzt. Seit aber Sali auf der
anderen Seite ging, hatte sie es schamhaft sinken lassen und
war nun dreifach belästigt und gequält, da sie alle das Zeug
tragen, den Rock zusammenhalten und des Streites wegen
sich grämen musste. Hätte sie aufgesehen und nach Sali ge-
blickt, so würde sie entdeckt haben, dass er weder vornehm
noch sehr stolz mehr aussah und selbst bekümmert genug
war. Während Vrenchen so ganz beschämt und verwirrt auf
die Erde sah und Sali nur diese in allem Elende schlanke
und anmutige Gestalt im Auge hatte, die so verlegen und
demütig dahinschritt, beachteten sie dabei nicht, wie ihre
Väter still geworden, aber mit verstärkter Wut einem hölzernen Stege zueilten, der in kleiner Entfernung über den
Bach führte und eben sichtbar wurde. Es fing an zu blitzen
und erleuchtete seltsam die dunkle melancholische Wasser-
gegend; es donnerte auch in den grauschwarzen Wolken
mit dumpfem Grolle und schwere Regentropfen fielen, als
die verwilderten Männer gleichzeitig auf die schmale, unter
ihren Tritten schwankende Brücke stürzten, sich gegenseitig packten und die Fäuste in die vor Zorn und ausbrechen-
dem Kummer bleichen zitternden Gesichter schlugen. Es
ist nichts Anmutiges und nichts weniger als artig, wenn
sonst gesetzte Menschen noch in den Fall kommen, aus
Übermut, Unbedacht oder Notwehr unter allerhand Volk,
das sie nicht näher berührt, Schläge auszuteilen oder welche
zu bekommen; allein dies ist eine harmlose Spielerei gegen

das tiefe Elend, das zwei alte Menschen überwältigt, die sich wohl kennen und seit lange kennen, wenn diese aus innerster Feindschaft und aus dem Gange einer ganzen Lebensgeschichte heraus sich mit nackten Händen anfassen und mit Fäusten schlagen. So taten jetzt diese beide ergrauten Männer; vor fünfzig Jahren vielleicht hatten sie sich als Buben zum letzten Mal gerauft, dann aber fünfzig lange Jahre mit keiner Hand mehr berührt, ausgenommen in ihrer guten Zeit, wo sie sich etwa zum Gruße die Hände geschüttelt, und auch dies nur selten bei ihrem trockenen und sichern Wesen. Nachdem sie ein- oder zweimal geschlagen, hielten sie inne und rangen still zitternd miteinander, nur zuweilen aufstöhnend und elendiglich knirschend, und einer suchte den andern über das knackende Geländer ins Wasser zu werfen. Jetzt waren aber auch ihre Kinder nachgekommen und sahen den erbärmlichen Auftritt. Sali sprang eines Satzes heran, um seinem Vater beizustehen und ihm zu helfen, dem gehassten Feinde den Garaus zu machen, der ohnehin der Schwächere schien und eben zu unterliegen drohte. Aber auch Vrenchen sprang, alles wegwerfend, mit einem langen Aufschrei herzu und umklammerte ihren Vater, um ihn zu schützen, während sie ihn dadurch nur hinderte und beschwerte. Tränen strömten aus ihren Augen, und sie sah flehend den Sali an, der im Begriff war, ihren Vater ebenfalls zu fassen und vollends zu überwältigen. Unwillkürlich legte er aber seine Hand an seinen eigenen Vater und suchte denselben mit festem Arm von dem Gegner loszubringen und zu beruhigen, sodass der Kampf eine kleine Weile ruhte oder vielmehr die ganze Gruppe unruhig hin und her drängte, ohne auseinanderzukommen. Darüber waren die jungen Leute, sich mehr zwischen die Alten schiebend, in dichte Berührung gekommen, und in diesem Augenblicke erhellte ein Wolkenriss, der den grellen Abendschein durchließ, das nahe Gesicht des Mädchens, und Sali sah in dies ihm so wohlbekannte und doch so viel anders und schöner gewordene Gesicht. Vrenchen sah in diesem Augenblicke auch sein Erstaunen und es lä-

18 f. **den Garaus zu machen:** zu töten

chelte ganz kurz und geschwind mitten in seinem Schrecken und in seinen Tränen ihn an. Doch ermannte sich Sali, geweckt durch die Anstrengungen seines Vaters, ihn abzuschütteln, und brachte ihn mit eindringlich bittenden Worten und fester Haltung endlich ganz von seinem Feinde weg. Beide alte Gesellen atmeten hoch auf und begannen jetzt wieder zu schelten und zu schreien, sich voneinander abwendend; ihre Kinder aber atmeten kaum und waren still wie der Tod, gaben sich aber im Wegwenden und Trennen, ungesehen von den Alten, schnell die Hände, welche vom Wasser und von den Fischen feucht und kühl waren.

Als die grollenden Parteien ihrer Wege gingen, hatten die Wolken sich wieder geschlossen, es dunkelte mehr und mehr und der Regen goss nun in Bächen durch die Luft. Manz schlenderte voraus auf den dunklen nassen Wegen, er duckte sich, beide Hände in den Taschen, unter den Regengüssen, zitterte noch in seinen Gesichtszügen und mit den Zähnen und ungesehene Tränen rieselten ihm in den Stoppelbart, die er fließen ließ, um sie durch das Wegwischen nicht zu verraten. Sein Sohn hatte aber nichts gesehen, weil er in glückseligen Bildern verloren daherging. Er merkte weder Regen noch Sturm, weder Dunkelheit noch Elend; sondern leicht, hell und warm war es ihm innen und außen und er fühlte sich so reich und wohlgeborgen wie ein Königssohn. Er sah fortwährend das sekundenlange Lächeln des nahen schönen Gesichtes und erwiderte dasselbe erst jetzt, eine gute halbe Stunde nachher, indem er voll Liebe in Nacht und Wetter hinein und das liebe Gesicht anlachte, das ihm allerwegen aus dem Dunkel entgegentrat, sodass er glaubte, Vrenchen müsse auf seinen Wegen dies Lachen notwendig sehen und seiner innewerden.

Sein Vater war des andern Tags wie zerschlagen und wollte nicht aus dem Hause. Der ganze Handel und das vieljährige Elend nahm heute eine neue, deutlichere Gestalt an und breitete sich dunkel aus in der drückenden Luft der Spelunke, also dass Mann und Frau matt und scheu um das

Gespenst herumschlichen, aus der Stube in die dunklen
Kämmerchen, von da in die Küche und aus dieser wieder
sich in die Stube schleppten, in welcher kein Gast sich sehen ließ. Zuletzt hockte jedes in einem Winkel und begann
den Tag über ein müdes, halbtotes Zanken und Vorhalten
mit dem andern, wobei sie zeitweise einschliefen, von un-
ruhigen Tagträumen geplagt, welche aus dem Gewissen kamen und sie wieder weckten. Nur Sali sah und hörte nichts
davon, denn er dachte nur an Vrenchen. Es war ihm immer
noch zumut, nicht nur als ob er unsäglich reich wäre, sondern auch was Rechts gelernt hätte und unendlich viel
Schönes und Gutes wüsste, da er nun so deutlich und bestimmt um das wusste, was er gestern gesehen. Diese Wis-
senschaft war ihm wie vom Himmel gefallen, und er war in
einer unaufhörlichen glücklichen Verwunderung darüber;
und doch war es ihm, als ob er es eigentlich von jeher gewusst und gekannt hätte, was ihn jetzt mit so wundersamer
Süßigkeit erfüllte. Denn nichts gleicht dem Reichtum und
der Unergründlichkeit eines Glückes, das an den Menschen
herantritt in einer so klaren und deutlichen Gestalt, vom
Pfäfflein getauft und wohl versehen mit einem eigenen Namen, der nicht tönt wie andere Namen.

Sali fühlte sich an diesem Tage weder müßig noch un-
glücklich, weder arm noch hoffnungslos; vielmehr war er
vollauf beschäftigt, sich Vrenchens Gesicht und Gestalt
vorzustellen, unaufhörlich, eine Stunde wie die andere;
über dieser aufgeregten Tätigkeit aber verschwand ihm der
Gegenstand derselben fast vollständig, das heißt er bildete
sich endlich ein, nun doch nicht zu wissen, wie Vrenchen
recht genau aussehe, er habe wohl ein allgemeines Bild von
ihr im Gedächtnis, aber wenn er sie beschreiben sollte, so
könnte er das nicht. Er sah fortwährend dies Bild, als ob es
vor ihm stände, und fühlte seinen angenehmen Eindruck,
und doch sah er es nur wie etwas, das man eben nur einmal
gesehen, in dessen Gewalt man liegt und das man doch
noch nicht kennt. Er erinnerte sich genau der Gesichtszüge,
welche das kleine Dirnchen einst gehabt, mit großem

---

21 **Pfäfflein:** Verkleinerungsform zu Pfaffe (Priester, Geistlicher) |
23 **müßig:** unbeschäftigt

Wohlgefallen, aber nicht eigentlich derjenigen, welche er gestern gesehen. Hätte er Vrenchen nie wieder zu sehen bekommen, so hätten sich seine Erinnerungskräfte schon behelfen müssen und das liebe Gesicht säuberlich wieder zusammengetragen, dass nicht ein Zug daran fehlte. Jetzt aber versagten sie schlau und hartnäckig ihren Dienst, weil die Augen nach ihrem Recht und ihrer Lust verlangten, und als am Nachmittage die Sonne warm und hell die oberen Stockwerke der schwarzen Häuser beschien, strich Sali aus dem Tore und seiner alten Heimat zu, welche ihm jetzt erst ein himmlisches Jerusalem zu sein schien mit zwölf glänzenden Pforten und die sein Herz klopfen machte, als er sich ihr näherte.

Er stieß auf dem Wege auf Vrenchens Vater, welcher nach der Stadt zu gehen schien. Der sah sehr wild und liederlich aus, sein grau gewordener Bart war seit Wochen nicht geschoren, und er sah aus wie ein recht böser verlorener Bauersmann, der sein Feld verscherzt hat und nun geht, um andern Übles zuzufügen. Dennoch sah ihn Sali, als sie sich vorübergingen, nicht mehr mit Hass, sondern voll Furcht und Scheu an, als ob sein Leben in dessen Hand stände und er es lieber von ihm erflehen als ertrotzen möchte. Marti aber maß ihn mit einem bösen Blicke von oben bis unten und ging seines Weges. Das war indessen dem Sali recht, welchem es nun, da er den Alten das Dorf verlassen sah, deutlicher wurde, was er eigentlich da wolle, und er schlich sich auf altbekannten Pfaden so lange um das Dorf herum und durch dessen verdeckte Gässchen, bis er sich Martis Haus und Hof gegenüber befand. Seit mehreren Jahren hatte er diese Stätte nicht mehr so nah gesehen; denn auch als sie noch hier wohnten, hüteten sich die verfeindeten Leute gegenseitig, sich ins Gehege zu kommen. Deshalb war er nun erstaunt über das, was er doch an seinem eigenen Vaterhause erlebt, und starrte voll Verwunderung in die Wüstenei, die er vor sich sah. Dem Marti war ein Stück Ackerland um das andere abgepfändet worden, er besaß nichts mehr als das Haus und den Platz davor nebst etwas Garten

und dem Acker auf der Höhe am Flusse, von welchem er
hartnäckig am längsten nicht lassen wollte.

Es war aber keine Rede mehr von einer ordentlichen Be-
bauung, und auf dem Acker, der einst so schön im gleich-
mäßigen Korne gewogt, wenn die Ernte kam, waren jetzt
allerhand abfällige Samenreste gesäet und aufgegangen, aus
alten Schachteln und zerrissenen Düten zusammengekehrt,
Rüben, Kraut und dergleichen und etwas Kartoffeln, sodass der Acker aussah wie ein recht übel gepflegter Gemü-
seplatz und eine wunderliche Musterkarte war, dazu angelegt, um von der Hand in den Mund zu leben, hier eine
Handvoll Rüben auszureißen, wenn man Hunger hatte
und nichts Besseres wusste, dort eine Tracht Kartoffeln
oder Kraut, und das Übrige fortwuchern oder verfaulen zu
lassen, wie es mochte. Auch lief jedermann darin herum,
wie es ihm gefiel, und das schöne breite Stück Feld sah
beinahe so aus wie einst der herrenlose Acker, von dem alles Unheil herkam. Deshalb war um das Haus nicht eine
Spur von Ackerwirtschaft zu sehen. Der Stall war leer, die
Türe hing nur in einer Angel, und unzählige Kreuzspin-
nen, den Sommer hindurch halb groß geworden, ließen
ihre Fäden in der Sonne glänzen vor dem dunklen Eingang. An dem offenstehenden Scheunentor, wo einst die
Früchte des festen Landes eingefahren, hing schlechtes Fi-
schergeräte, zum Zeugnis der verkehrten Wasserpfuscherei;
auf dem Hofe war nicht ein Huhn und nicht eine Taube,
weder Katze noch Hund zu sehen; nur der Brunnen war
noch als etwas Lebendiges da, aber er floss nicht mehr
durch die Röhre, sondern sprang durch einen Riss nahe am
Boden über diesen hin und setzte überall kleine Tümpel
an, sodass er das beste Sinnbild der Faulheit abgab. Denn
während mit wenig Mühe des Vaters das Loch zu verstop-
fen und die Röhre herzustellen gewesen wäre, musste sich
Vrenchen nun abquälen, selbst das lautere Wasser dieser
Verkommenheit abzugewinnen und seine Wäscherei in den
seichten Sammlungen am Boden vorzunehmen statt in dem
vertrockneten und zerspellten Troge. Das Haus selbst war

6 **abfällige:** aus dem Abfall stammende | 7 **Düten:** Säcken aus grobem
Stoff | 10 **Musterkarte:** eigentl.: ein Prospekt mit Stoffproben zu An-
sichtszwecken | 13 **Tracht:** unbestimmte Menge | 37 **zerspellten:** völlig
zerspaltenen | 37 **Troge:** Wanne aus Holz oder Stein

ebenso kläglich anzusehen; die Fenster waren vielfältig zerbrochen und mit Papier verklebt, aber doch waren sie das Freundlichste an dem Verfall; denn sie waren, selbst die zerbrochenen Scheiben, klar und sauber gewaschen, ja förmlich poliert, und glänzten so hell wie Vrenchens Augen, welche ihm in seiner Armut ja auch allen übrigen Staat ersetzen mussten. Und wie die krausen Haare und die rotgelben Kattunhalstücher zu Vrenchens Augen, stand zu diesen blinkenden Fenstern das wilde grüne Gewächs, was da durcheinander rankte um das Haus, flatternde Bohnenwäldchen und eine ganze duftende Wildnis von rotgelbem Goldlack. Die Bohnen hielten sich, so gut sie konnten, hier an einem Harkenstiel oder an einem verkehrt in die Erde gesteckten Stumpfbesen, dort an einer von Rost zerfressenen Helbarte oder Sponton, wie man es nannte, als Vrenchens Großvater das Ding als Wachtmeister getragen, welches es jetzt aus Not in die Bohnen gepflanzt hatte; dort kletterten sie wieder lustig eine verwitterte Leiter empor, die am Hause lehnte seit undenklichen Zeiten, und hingen von da in die klaren Fensterchen hinunter wie Vrenchens Kräuselhaare in seine Augen. Dieser mehr malerische als wirtliche Hof lag etwas beiseit und hatte keine näheren Nachbarhäuser, auch ließ sich in diesem Augenblicke nirgends eine lebendige Seele wahrnehmen; Sali lehnte daher in aller Sicherheit an einem alten Scheunchen, etwa dreißig Schritte entfernt, und schaute unverwandt nach dem stillen wüsten Hause hinüber. Eine geraume Zeit lehnte und schaute er so, als Vrenchen unter die Haustür kam und lange vor sich hin blickte, wie mit allen ihren Gedanken an einem Gegenstande hängend. Sali rührte sich nicht und wandte kein Auge von ihr. Als sie endlich zufällig in dieser Richtung hinsah, fiel er ihr in die Augen. Sie sahen sich eine Weile an, herüber und hinüber, als ob sie eine Lufterscheinung betrachteten, bis sich Sali endlich aufrichtete und langsam über die Straße und über den Hof ging auf Vrenchen los. Als er dem Mädchen nahe war, streckte es seine Hände gegen ihn aus und sagte: »Sali!« Er

---

8 **Kattunhalstücher:** Kattun: feines Gewebe aus Baumwolle |
15 **Helbarte:** Hellebarde, Hieb- und Stoßwaffe im Mittelalter |
15 **Sponton:** kurze, der Hellebarde ähnliche Pike, Spießwaffe

ergriff die Hände und sah ihr immerfort ins Gesicht. Tränen stürzten aus ihren Augen, während sie unter seinen Blicken vollends dunkelrot wurde, und sie sagte: »Was willst du hier?« »Nur dich sehen!«, erwiderte er, »wollen wir nicht wieder gute Freunde sein?« »Und unsere Eltern?«, fragte Vrenchen, sein weinendes Gesicht zur Seite neigend, da es die Hände nicht frei hatte, um es zu bedecken. »Sind wir schuld an dem, was sie getan und geworden sind?«, sagte Sali, »vielleicht können wir das Elend nur gutmachen, wenn wir zwei zusammenhalten und uns recht lieb sind!« »Es wird nie gut kommen«, antwortete Vrenchen mit einem tiefen Seufzer, »geh in Gottes Namen deiner Wege, Sali!« »Bist du allein?«, fragte dieser, »kann ich einen Augenblick hereinkommen?« »Der Vater ist zur Stadt, wie er sagte, um deinem Vater irgendetwas anzuhängen; aber hereinkommen kannst du nicht, weil du später vielleicht nicht so ungesehen weggehen kannst wie jetzt. Noch ist alles still und niemand um den Weg, ich bitte dich, geh jetzt!« »Nein, so geh ich nicht! Ich musste seit gestern immer an dich denken, und ich geh nicht so fort, wir müssen miteinander reden, wenigstens eine halbe Stunde lang oder eine Stunde, das wird uns gut tun!« Vrenchen besann sich ein Weilchen und sagte dann: »Ich geh gegen Abend auf unsern Acker hinaus, du weißt welchen, wir haben nur noch den, und hole etwas Gemüse. Ich weiß, dass niemand weiter dort sein wird, weil die Leute anderswo schneiden; wenn du willst, so komm dorthin, aber jetzt geh und nimm dich in Acht, dass dich niemand sieht! Wenn auch kein Mensch hier mehr mit uns umgeht, so würden sie doch ein solches Gerede machen, dass es der Vater sogleich vernähme.« Sie ließen sich jetzt die Hände frei, ergriffen sie aber auf der Stelle wieder und beide sagten gleichzeitig: »Und wie geht es dir auch?« Aber statt sich zu antworten, fragten sie das Gleiche aufs Neue, und die Antwort lag nur in den beredten Augen, da sie nach Art der Verliebten die Worte nicht mehr zu lenken wussten und, ohne sich weiter etwas zu sagen, endlich halb selig

---

18 **um den Weg**: unterwegs | 27 **schneiden**: Korn schneiden

und halb traurig auseinanderhuschten. »Ich komme recht
bald hinaus, geh nur gleich hin!«, rief Vrenchen noch nach.

Sali ging auch alsobald auf die stille schöne Anhöhe hinaus, über welche die zwei Äcker sich erstreckten, und die
prächtige stille Julisonne, die fahrenden weißen Wolken,
welche über das reife wallende Kornfeld wegzogen, der
glänzende blaue Fluss, der unten vorüberwallte, alles dies
erfüllte ihn zum ersten Male seit langen Jahren wieder mit
Glück und Zufriedenheit statt mit Kummer, und er warf
sich der Länge nach in den durchsichtigen Halbschatten
des Kornes, wo dasselbe Martis wilden Acker begrenzte,
und guckte glückselig in den Himmel.

Obgleich es kaum eine Viertelstunde währte, bis Vrenchen nachkam, und er an nichts anderes dachte als an sein
Glück und dessen Namen, stand es doch plötzlich und unverhofft vor ihm, auf ihn niederlächelnd, und froh erschreckt sprang er auf: »Vreeli!«, rief er, und dieses gab ihm
still und lächelnd beide Hände, und Hand in Hand gingen
sie nun das flüsternde Korn entlang bis gegen den Fluss
hinunter und wieder zurück, ohne viel zu reden; sie legten
zwei- und dreimal den Hin- und Herweg zurück, still,
glückselig und ruhig, sodass dieses einige Paar nun auch einem Sternbilde glich, welches über die sonnige Rundung
der Anhöhe und hinter derselben niederging, wie einst die
sicher gehenden Pflugzüge ihrer Väter. Als sie aber einsmals die Augen von den blauen Kornblumen aufschlugen,
an denen sie gehaftet, sahen sie plötzlich einen andern
dunklen Stern vor sich hergehen, einen schwärzlichen Kerl,
von dem sie nicht wussten, woher er so unversehens gekommen. Er musste im Korne gelegen haben; Vrenchen
zuckte zusammen und Sali sagte erschreckt: »Der schwarze
Geiger!« In der Tat trug der Kerl, der vor ihnen herstrich,
eine Geige mit dem Bogen unter dem Arm und sah übri-
gens schwarz genug aus; neben einem schwarzen Filzhütchen und einem schwarzen rußigen Kittel, den er trug, war
auch sein Haar pechschwarz so wie der ungeschorene Bart,
das Gesicht und die Hände aber ebenfalls geschwärzt; denn

25f. **einsmals:** plötzlich, auf einmal

er trieb allerlei Handwerk, meistens Kesselflicken, half auch den Kohlenbrennern und Pechsiedern in den Wäldern und ging mit der Geige nur auf einen guten Schick aus, wenn die Bauern irgendwo lustig waren und ein Fest feierten. Sali und Vrenchen gingen mäuschenstill hinter ihm drein und dachten, er würde vom Felde gehen und verschwinden, ohne sich umzusehen, und so schien es auch zu sein, denn er tat, als ob er nichts von ihnen merkte. Dazu waren sie in einem seltsamen Bann, dass sie nicht wagten, den schmalen Pfad zu verlassen und dem unheimlichen Gesellen unwillkürlich folgten bis an das Ende des Feldes, wo jener ungerechte Steinhaufen lag, der das immer noch streitige Ackerzipfelchen bedeckte. Eine zahllose Menge von Mohnblumen oder Klatschrosen hatte sich darauf angesiedelt, weshalb der kleine Berg feuerrot aussah zurzeit. Plötzlich sprang der schwarze Geiger mit einem Satze auf die rotbekleidete Steinmasse hinauf, kehrte sich und sah ringsum. Das Pärchen blieb stehen und sah verlegen zu dem dunklen Burschen hinauf; denn vorbei konnten sie nicht gehen, weil der Weg in das Dorf führte, und umkehren mochten sie auch nicht vor seinen Augen. Er sah sie scharf an und rief: »Ich kenne euch, ihr seid die Kinder derer, die mir den Boden hier gestohlen haben! Es freut mich zu sehen, wie gut ihr gefahren seid, und werde gewiss noch erleben, dass ihr vor mir den Weg alles Fleisches geht! Seht mich nur an, ihr zwei Spatzen! Gefällt euch meine Nase, wie?« In der Tat besaß er eine schreckbare Nase, welche wie ein großes Winkelmaß aus dem dürren schwarzen Gesicht ragte oder eigentlich mehr einem tüchtigen Knebel oder Prügel glich, welcher in dies Gesicht geworfen worden war und unter dem ein kleines rundes Löchelchen von einem Munde sich seltsam stutzte und zusammenzog, aus dem er unaufhörlich pustete, pfiff und zischte. Dazu stand das kleine Filzhütchen ganz unheimlich, welches nicht rund und nicht eckig und so sonderlich geformt war, dass es alle Augenblicke seine Gestalt zu verändern schien, obgleich es unbeweglich saß, und von den Augen des Kerls

---

2 **Pechsiedern:** Herstellern von Pech, einem Produkt aus Harz oder Kohlenteer zum Isolieren und Abdichten von Oberflächen | 3 **Schick:** hier: Profit, Gewinn | 29 **Knebel:** Knüppel, Holzstück

war fast nichts als das Weiße zu sehen, da die Sterne unaufhörlich auf einer blitzschnellen Wanderung begriffen waren und wie zwei Hasen im Zickzack umhersprangen. »Seht mich nur an«, fuhr er fort, »eure Väter kennen mich wohl und jedermann in diesem Dorfe weiß, wer ich bin, wenn er nur meine Nase ansieht. Da haben sie vor Jahren ausgeschrieben, dass ein Stück Geld für den Erben dieses Ackers bereitliege; ich habe mich zwanzigmal gemeldet, aber ich habe keinen Taufschein und keinen Heimatschein, und meine Freunde, die Heimatlosen, die meine Geburt gesehen, haben kein gültiges Zeugnis, und so ist die Frist längst verlaufen, und ich bin um den blutigen Pfennig gekommen, mit dem ich hätte auswandern können! Ich habe eure Väter angefleht, dass sie mir bezeugen möchten, sie müssten mich nach ihrem Gewissen für den rechten Erben halten; aber sie haben mich von ihren Höfen gejagt, und nun sind sie selbst zum Teufel gegangen! Item, das ist der Welt Lauf, mir kann's recht sein, ich will euch doch geigen, wenn ihr tanzen wollt!« Damit sprang er auf der anderen Seite von den Steinen hinunter und machte sich dem Dorfe zu, wo gegen Abend der Erntesegen eingebracht wurde und die Leute guter Dinge waren. Als er verschwunden, ließ sich das Paar ganz mutlos und betrübt auf die Steine nieder; sie ließen ihre verschlungenen Hände fahren und stützten die traurigen Köpfe darauf; denn die Erscheinung des Geigers und seine Worte hatten sie aus der glücklichen Vergessenheit gerissen, in welcher sie wie zwei Kinder auf und ab gewandelt, und wie sie nun auf dem harten Grund ihres Elendes saßen, verdunkelte sich das heitere Lebenslicht und ihre Gemüter wurden so schwer wie Steine.

Da erinnerte sich Vrenchen unversehens der wunderlichen Gestalt und der Nase des Geigers, es musste plötzlich hell auflachen und rief: »Der arme Kerl sieht gar zu spaßhaft aus! Was für eine Nase!« und eine allerliebste sonnenhelle Lustigkeit verbreitete sich über des Mädchens Gesicht, als ob sie nur geharrt hätte, bis des Geigers Nase die trüben Wolken wegstieße. Sali sah Vrenchen an und sah

---

11 **haben kein gültiges Zeugnis:** sind als Zeugen nicht anerkannt | 12 **blutigen Pfennig:** kleine Geldsumme, geringfügiger Erlös | 17 **Item:** ebenso, ferner

diese Fröhlichkeit. Es hatte die Ursache aber schon wieder vergessen und lachte nur noch auf eigene Rechnung dem Sali ins Gesicht. Dieser, verblüfft und erstaunt, starrte unwillkürlich mit lachendem Munde auf die Augen, gleich einem Hungrigen, der ein süßes Weizenbrot erblickt, und rief: »Bei Gott, Vreeli! wie schön bist du!« Vrenchen lachte ihn nur noch mehr an und hauchte dazu aus klangvoller Kehle einige kurze mutwillige Lachtöne, welche dem armen Sali nicht anders dünkten als der Gesang einer Nachtigall. »O du Hexe!«, rief er, »wo hast du das gelernt? Welche Teufelskünste treibst du da?« »Ach du lieber Gott!«, sagte Vrenchen mit schmeichelnder Stimme und nahm Salis Hand, »das sind keine Teufelskünste! Wie lange hätte ich gern einmal gelacht! Ich habe wohl zuweilen, wenn ich ganz allein war, über irgendetwas lachen müssen, aber es war nichts Rechts dabei; jetzt aber möchte ich dich immer und ewig anlachen, wenn ich dich sehe, und ich möchte dich wohl immer und ewig sehen! Bist du mir auch ein bisschen recht gut?« »O Vreeli!«, sagte er und sah ihr ergeben und treuherzig in die Augen, »ich habe noch nie ein Mädchen angesehen, es war mir immer, als ob ich dich einst lieb haben müsste, und ohne dass ich wollte oder wusste, hast du mir doch immer im Sinn gelegen!« »Und du mir auch«, sagte Vrenchen, »und das noch viel mehr; denn du hast mich nie angesehen und wusstest nicht, wie ich geworden bin; ich aber habe dich zuzeiten aus der Ferne und sogar heimlich aus der Nähe recht gut betrachtet und wusste immer, wie du aussiehst! Weißt du noch, wie oft wir als Kinder hierhergekommen sind? Denkst du noch des kleinen Wagens? Wie kleine Leute sind wir damals gewesen, und wie lang ist es her! Man sollte denken, wir wären recht alt?« »Wie alt bist du jetzt?«, fragte Sali voll Vergnügen und Zufriedenheit, »du musst ungefähr siebzehn sein?« »Siebzehn und ein halbes Jahr bin ich alt!«, erwiderte Vrenchen, »und wie alt bist du? Ich weiß aber schon, du bist bald zwanzig!« »Woher weißt du das?«, fragte Sali. »Gelt, wenn ich es sagen wollte!« »Du willst es nicht sagen?« »Nein!«

»Gewiss nicht?« »Nein, nein!« »Du sollst es sagen!« »Willst du mich etwa zwingen?« »Das wollen wir sehen!« Diese einfältigen Reden führte Sali, um seine Hände zu beschäftigen und mit ungeschickten Liebkosungen, welche wie eine Strafe aussehen sollten, das schöne Mädchen zu bedrängen. Sie führte auch, sich wehrend, mit vieler Langmut den albernen Wortwechsel fort, der trotz seiner Leerheit beide witzig und süß genug dünkte, bis Sali erbost und kühn genug war, Vrenchens Hände zu bezwingen und es in die Mohnblumen zu drücken. Da lag es nun und zwinkerte in der Sonne mit den Augen; seine Wangen glühten wie Purpur und sein Mund war halb geöffnet und ließ zwei Reihen weiße Zähne durchschimmern. Fein und schön flossen die dunklen Augenbrauen ineinander und die junge Brust hob und senkte sich mutwillig unter sämtlichen vier Händen, welche sich kunterbunt darauf streichelten und bekriegten. Sali wusste sich nicht zu lassen vor Freuden, das schlanke schöne Geschöpf vor sich zu sehen, es sein Eigen zu wissen, und es dünkte ihm ein Königreich. »Alle deine weißen Zähne hast du noch!«, lachte er, »weißt du noch, wie oft wir sie einst gezählt haben? Kannst du jetzt zählen?« »Das sind ja nicht die gleichen, du Kind!«, sagte Vrenchen, »jene sind längst ausgefallen!« Sali wollte nun in seiner Einfalt jenes Spiel wieder erneuern und die glänzenden Zahnperlen zählen; aber Vrenchen verschloss plötzlich den roten Mund, richtete sich auf und begann einen Kranz von Mohnrosen zu winden, den es sich auf den Kopf setzte. Der Kranz war voll und breit und gab der bräunlichen Dirne ein fabelhaftes reizendes Ansehen, und der arme Sali hielt in seinem Arm, was reiche Leute teuer bezahlt hätten, wenn sie es nur gemalt an ihren Wänden hätten sehen können. Jetzt sprang sie aber empor und rief: »Himmel, wie heiß ist es hier! Da sitzen wir wie die Narren und lassen uns versengen! Komm, mein Lieber! lass uns ins hohe Korn sitzen!« Sie schlüpften hinein so geschickt und sachte, dass sie kaum eine Spur zurückließen, und bauten sich einen engen Kerker in den goldenen Ähren, die ihnen hoch über den Kopf ragten, als sie drin saßen, sodass sie nur den tiefblauen Himmel über sich sahen und sonst nichts von der Welt. Sie umhalsten sich und küssten sich unverweilt und so lange, bis sie einstweilen müde waren, oder wie man es nennen will, wenn das Küssen zweier Verliebter auf eine oder zwei Minuten sich selbst überlebt und die Vergänglichkeit alles Lebens mitten im Rausche der Blütezeit ahnen lässt. Sie hörten die Lerchen singen hoch über sich und suchten dieselben mit ihren scharfen Augen, und wenn sie glaubten, flüchtig eine in der Sonne aufblitzen zu sehen, gleich einem plötzlich aufleuchtenden oder hinschießenden Stern am blauen Himmel, so küssten sie sich wieder zur Belohnung und suchten einander zu übervorteilen und zu täuschen, so viel sie konnten. »Siehst du, dort blitzt eine!«, flüsterte Sali und Vrenchen erwiderte ebenso leise: »Ich höre sie wohl, aber ich sehe sie nicht!« »Doch, pass nur auf, dort wo das weiße Wölkchen steht, ein wenig rechts davon!« Und beide sahen eifrig hin und sperrten vorläufig ihre Schnäbel auf, wie die jungen Wachteln im Neste, um sie unverzüglich aufeinanderzuheften, wenn sie sich einbildeten, die Lerche gesehen zu haben. Auf einmal hielt Vrenchen inne und sagte: »Dies ist also eine ausgemachte Sache, dass jedes von uns einen Schatz hat, dünkt es dich nicht so?« »Ja«, sagte Sali, »es scheint mir auch so!« »Wie gefällt dir denn dein Schätzchen«, sagte Vrenchen, »was ist es für ein Ding, was hast du von ihm zu melden?« »Es ist ein gar feines Ding«, sagte Sali, »es hat zwei braune Augen, einen roten Mund und läuft auf zwei Füßen; aber seinen Sinn kenn ich weniger als den Papst zu Rom! Und was kannst du von deinem Schatz berichten?« »Er hat zwei blaue Augen, einen nichtsnutzigen Mund und braucht zwei verwegene starke Arme; aber seine Gedanken sind mir unbekannter als der türkische Kaiser!« »Es ist eigentlich wahr«, sagte Sali, »dass wir uns weniger kennen als wenn wir uns nie gesehen hätten, so fremd hat uns die lange Zeit gemacht, seit wir groß geworden sind! Was ist alles vorgegangen in deinem Köpfchen, mein liebes Kind?« »Ach,

nicht viel! Tausend Narrenspossen haben sich wollen regen,
aber es ist mir immer so trübselig ergangen, dass sie nicht
aufkommen konnten!« »Du armes Schätzchen«, sagte Sali,
»ich glaube aber, du hast es hinter den Ohren, nicht?« »Das
kannst du ja nach und nach erfahren, wenn du mich recht
lieb hast!« »Wenn du einst meine Frau bist?« Vrenchen zitterte leis bei diesem letzten Worte und schmiegte sich tiefer
in Salis Arme, ihn von neuem lange und zärtlich küssend.
Es traten ihr dabei Tränen in die Augen, und beide wurden
auf einmal traurig, da ihnen ihre hoffnungsarme Zukunft in
den Sinn kam und die Feindschaft ihrer Eltern. Vrenchen
seufzte und sagte: »Komm, ich muss nun gehen!« und so
erhoben sie sich und gingen Hand in Hand aus dem Kornfeld, als sie Vrenchens Vater spähend vor sich sahen. Mit
dem kleinlichen Scharfsinn des müßigen Elendes hatte dieser, als er dem Sali begegnet, neugierig gegrübelt, was der
wohl allein im Dorfe zu suchen ginge, und sich des gestrigen Vorfalles erinnernd, verfiel er, immer nach der Stadt zu
schlendernd, endlich auf die richtige Spur, rein aus Groll
und unbeschäftigter Bosheit, und nicht so bald gewann der
Verdacht eine bestimmte Gestalt, als er mitten in den Gassen von Seldwyla umkehrte und wieder in das Dorf hinaus-
trollte, wo er seine Tochter in Haus und Hof und rings in
den Hecken vergeblich suchte. Mit wachsender Neugier
rannte er auf den Acker hinaus, und als er da Vrenchens
Korb liegen sah, in welchem es die Früchte zu holen pflegte, das Mädchen selbst aber nirgends erblickte, spähte er
eben am Korne des Nachbars herum, als die erschrockenen
Kinder herauskamen.

Sie standen wie versteinert und Marti stand erst auch da
und beschaute sie mit bösen Blicken, bleich wie Blei; dann
fing er fürchterlich an zu toben in Gebärden und Schimpf-
worten und langte zugleich grimmig nach dem jungen Burschen, um ihn zu würgen; Sali wich aus und floh einige
Schritte zurück, entsetzt über den wilden Mann, sprang
aber sogleich wieder zu, als er sah, dass der Alte statt seiner
nun das zitternde Mädchen fasste, ihm eine Ohrfeige gab,

---

1 **Narrenspossen:** lustige Streiche

dass der rote Kranz herunterflog, und seine Haare um die Hand wickelte, um es mit sich fortzureißen und weiter zu misshandeln. Ohne sich zu besinnen, raffte er einen Stein auf und schlug mit demselben den Alten gegen den Kopf, halb in Angst um Vrenchen und halb im Jähzorn. Marti taumelte erst ein wenig, sank dann bewusstlos auf den Steinhaufen nieder und zog das erbärmlich aufschreiende Vrenchen mit. Sali befreite noch dessen Haare aus der Hand des Bewusstlosen und richtete es auf; dann stand er da wie eine Bildsäule, ratlos und gedankenlos. Das Mädchen, als es den wie tot daliegenden Vater sah, fuhr sich mit den Händen über das erbleichende Gesicht, schüttelte sich und sagte: »Hast du ihn erschlagen?« Sali nickte lautlos und Vrenchen schrie: »O Gott, du lieber Gott! Es ist mein Vater! der arme Mann!« und sinnlos warf es sich über ihn und hob seinen Kopf auf, an welchem indessen kein Blut floss. Es ließ ihn wieder sinken; Sali ließ sich auf der anderen Seite des Mannes nieder, und beide schauten, still wie das Grab und mit erlahmten reglosen Händen, in das leblose Gesicht. Um nur etwas anzufangen, sagte endlich Sali: »Er wird doch nicht gleich tot sein müssen? das ist gar nicht ausgemacht!« Vrenchen riss ein Blatt von einer Klatschrose ab und legte es auf die erblassten Lippen, und es bewegte sich schwach. »Er atmet noch«, rief es, »so lauf doch ins Dorf und hol Hilfe!« Als Sali aufsprang und laufen wollte, streckte es ihm die Hand nach und rief ihn zurück: »Komm aber nicht mit zurück und sage nichts, wie es zugegangen, ich werde auch schweigen, man soll nichts aus mir herausbringen!«, sagte es und sein Gesicht, das es dem armen ratlosen Burschen zuwandte, überfloss von schmerzlichen Tränen. »Komm, küss mich noch einmal! Nein, geh, mach dich fort! Es ist aus, es ist ewig aus, wir können nicht zusammenkommen!« Es stieß ihn fort und er lief willenlos dem Dorfe zu. Er begegnete einem Knäbchen, das ihn nicht kannte; diesem trug er auf, die nächsten Leute zu holen, und beschrieb ihm genau, wo die Hilfe nötig sei. Dann machte er sich verzweifelt fort und irrte die ganze Nacht im Gehölze herum. Am Morgen schlich er in die Felder, um zu erspähen, wie es gegangen sei, und hörte von frühen Leuten, welche miteinander sprachen, dass Marti noch lebe, aber nichts von sich wisse, und wie das eine seltsame Sache wäre, da kein Mensch wisse, was ihm zugestoßen. Erst jetzt ging er in die Stadt zurück und verbarg sich in dem dunklen Elend des Hauses.

Vrenchen hielt ihm Wort; es war nichts aus ihm herauszufragen, als dass es selbst den Vater so gefunden habe, und da er am andern Tage sich wieder tüchtig regte und atmete, freilich ohne Bewusstsein, und überdies kein Kläger da war, so nahm man an, er sei betrunken gewesen und auf die Steine gefallen, und ließ die Sache auf sich beruhen. Vrenchen pflegte ihn und ging nicht von seiner Seite, außer um die Arzneimittel zu holen beim Doktor und etwa für sich selbst eine schlechte Suppe zu kochen; denn es lebte beinahe von nichts, obgleich es Tag und Nacht wach sein musste und niemand ihm half. Es dauerte beinahe sechs Wochen, bis der Kranke allmählich zu seinem Bewusstsein kam, obgleich er vorher schon wieder aß und in seinem Bette ziemlich munter war. Aber es war nicht das alte Bewusstsein, das er jetzt erlangte, sondern es zeigte sich immer deutlicher, je mehr er sprach, dass er blödsinnig geworden, und zwar auf die wunderlichste Weise. Er erinnerte sich nur dunkel an das Geschehene und wie an etwas sehr Lustiges, was ihn nicht weiter berühre, lachte immer wie ein Narr und war guter Dinge. Noch im Bette liegend, brachte er hundert närrische, sinnlos mutwillige Redensarten und Einfälle zum Vorschein, schnitt Gesichter und zog sich die schwarzwollene Zipfelmütze in die Augen und über die Nase herunter, dass diese aussah wie ein Sarg unter einem Bahrtuch. Das bleiche und abgehärmte Vrenchen hörte ihm geduldig zu, Tränen vergießend über das törichte Wesen, welches die arme Tochter noch mehr ängstigte als die frühere Bosheit; aber wenn der Alte zuweilen etwas gar zu Drolliges anstellte, so musste es mitten in seiner Qual

16 **eine schlechte Suppe:** hier: eine einfache, schlichte Suppe

laut auflachen, da sein unterdrücktes Wesen immer zur
Lust aufzuspringen bereit war, wie ein gespannter Bogen,
worauf dann eine umso tiefere Betrübnis erfolgte. Als der
Alte aber aufstehen konnte, war gar nichts mehr mit ihm
anzustellen; er machte nichts als Dummheiten, lachte und
stöberte um das Haus herum, setzte sich in die Sonne und
streckte die Zunge heraus oder hielt lange Reden in die
Bohnen hinein.

Um die gleiche Zeit aber war es auch aus mit den weni-
gen Überbleibseln seines ehemaligen Besitzes und die Un-
ordnung so weit gediehen, dass auch sein Haus und der
letzte Acker, seit geraumer Zeit verpfändet, nun gerichtlich
verkauft wurden. Denn der Bauer, welcher die zwei Äcker
des Manz gekauft, benutzte die gänzliche Verkommenheit
Martis und seine Krankheit und führte den alten Streit wegen des strittigen Steinfleckes kurz und entschlossen zu
Ende, und der verlorene Prozess trieb Martis Fass vollends
den Boden aus, indessen er in seinem Blödsinne nichts
mehr von diesen Dingen wusste. Die Versteigerung fand
statt; Marti wurde von der Gemeinde in einer Stiftung für
dergleichen arme Tröpfe auf öffentliche Kosten unterge-
bracht. Diese Anstalt befand sich in der Hauptstadt des
Ländchens; der gesunde und essbegierige Blödsinnige wurde noch gut gefüttert, dann auf ein mit Ochsen bespanntes
Wägelchen geladen, das ein ärmlicher Bauersmann nach der
Stadt führte, um zugleich einen oder zwei Säcke Kartoffeln
zu verkaufen, und Vrenchen setzte sich zu dem Vater auf
das Fuhrwerk, um ihn auf diesem letzten Gange zu dem le-
bendigen Begräbnis zu begleiten. Es war eine traurige und
bittere Fahrt, aber Vrenchen wachte sorgfältig über seinen
Vater und ließ es ihm an nichts fehlen, und es sah sich nicht
um und ward nicht ungeduldig, wenn durch die Kapriolen
des Unglücklichen die Leute aufmerksam wurden und dem
Wägelchen nachliefen, wo sie durchfuhren. Endlich er-
reichten sie das weitläufige Gebäude in der Stadt, wo die
langen Gänge, die Höfe und ein freundlicher Garten von
einer Menge ähnlicher Tröpfe belebt waren, die alle in wei-

7 f. **hielt lange Reden in die Bohnen hinein:** sprach Unsinn, redete
wirr | 32 **Kapriolen:** launenhafte Einfälle, übermütige Streiche

ße Kittel gekleidet waren und dauerhafte Lederkäppchen auf den harten Köpfen trugen. Auch Marti wurde noch vor Vrenchens Augen in diese Tracht gekleidet, und er freute sich wie ein Kind darüber und tanzte singend umher. »Gott grüß' euch, ihr geehrten Herren!«, rief er seine neuen Genossen an, »ein schönes Haus habt ihr hier! Geh heim, Vrenggel, und sag der Mutter, ich komme nicht mehr nach Haus, hier gefällt's mir bei Gott! Juchhei! Es kreucht ein Igel über den Hag, ich hab ihn hören bellen! O Meitli, küss kein alten Knab, küss nur die jungen Gesellen! Alle die Wässerlein laufen in Rhein, die mit dem Pflaumenaug, die muss es sein! Gehst du schon, Vreeli? Du siehst ja aus wie der Tod im Häfelein und geht es mir doch so erfreulich! Die Füchsin schreit im Felde: Halleo, halleo! das Herz tut ihr weho! hoho!« Ein Aufseher gebot ihm Ruhe und führte ihn zu einer leichten Arbeit, und Vrenchen ging das Fuhrwerk aufzusuchen. Es setzte sich auf den Wagen, zog ein Stückchen Brot hervor und aß dasselbe, dann schlief es, bis der Bauer kam und mit ihm nach dem Dorfe zurückfuhr. Sie kamen erst in der Nacht an. Vrenchen ging nach dem Hause, in dem es geboren und nur zwei Tage bleiben durfte, und es war jetzt zum ersten Mal in seinem Leben ganz allein darin. Es machte ein Feuer, um das letzte Restchen Kaffee zu kochen, das es noch besaß, und setzte sich auf den Herd, denn es war ihm ganz elendiglich zumut. Es sehnte sich und härmte sich ab, den Sali nur ein einziges Mal zu sehen, und dachte inbrünstig an ihn; aber die Sorgen und der Kummer verbitterten seine Sehnsucht und diese machte die Sorgen wieder viel schwerer. So saß es und stützte den Kopf in die Hände, als jemand durch die offen stehende Tür hereinkam. »Sali!«, rief Vrenchen, als es aufsah, und fiel ihm um den Hals; dann sahen sich aber beide erschrocken an und riefen: »Wie siehst du elend aus!« Denn Sali sah nicht minder als Vrenchen bleich und abgezehrt aus. Alles vergessend zog es ihn zu sich auf den Herd und sagte: »Bist du krank gewesen, oder ist es dir auch so schlimm ergangen?« Sali antwortete: »Nein, ich bin gerade

---

9 **Hag:** Gehege, Hain | 9 **Meitli:** Mädchen | 13 **Häfelein:** kleines Gefäß

nicht krank, außer vor Heimweh nach dir! Bei uns geht es jetzt hoch und herrlich zu; der Vater hat einen Einzug und Unterschleif von auswärtigem Gesindel und ich glaube, soviel ich merke, ist er ein Diebshehler geworden. Deshalb ist jetzt einstweilen Hülle und Fülle in unserer Taverne, solang es geht und bis es ein Ende mit Schrecken nimmt. Die Mutter hilft dazu, aus bitterlicher Gier, nur etwas im Hause zu sehen, und glaubt den Unfug noch durch eine gewisse Aufsicht und Ordnung annehmlich und nützlich zu machen! Mich fragt man nicht und ich konnte mich nicht viel darum kümmern; denn ich kann nur an dich denken Tag und Nacht. Da allerlei Landstreicher bei uns einkehren, so haben wir alle Tage gehört, was bei euch vorgeht, worüber mein Vater sich freut wie ein kleines Kind. Dass dein Vater heute nach dem Spittel gebracht wurde, haben wir auch vernommen; ich habe gedacht, du werdest jetzt allein sein, und bin gekommen, um dich zu sehen!« Vrenchen klagte ihm jetzt auch alles, was sie drückte und was sie erlitt, aber mit so leichter zutraulicher Zunge, als ob sie ein großes Glück beschriebe, weil sie glücklich war, Sali neben sich zu sehen. Sie brachte inzwischen notdürftig ein Becken voll warmen Kaffee zusammen, welchen mit ihr zu teilen sie den Geliebten zwang. »Also übermorgen musst du hier weg?«, sagte Sali, »was soll denn ums Himmels willen werden?« »Das weiß ich nicht«, sagte Vrenchen, »ich werde dienen müssen und in die Welt hinaus! Ich werde es aber nicht aushalten ohne dich, und doch kann ich dich nie bekommen, auch wenn alles andere nicht wäre, bloß weil du meinen Vater geschlagen und um den Verstand gebracht hast! Dies würde immer ein schlechter Grundstein unserer Ehe sein und wir beide nie sorglos werden, nie!« Sali seufzte und sagte: »Ich wollte auch schon hundertmal Soldat werden oder mich in einer fremden Gegend als Knecht verdingen, aber ich kann noch nicht fortgehen, solange du hier bist, und hernach wird es mich aufreiben. Ich glaube, das Elend macht meine Liebe zu dir stärker und schmerzhafter, sodass es um Leben und Tod geht! Ich habe von

---

3 **Unterschleif:** Zuflucht, Unterschlupf | 4 **Diebshehler:** Person, die gestohlene Gegenstände versteckt und verkauft | 15 **Spittel:** Spital, Krankenhaus | 21 **Becken:** flache Schale | 34 **verdingen:** eine (niedere) Arbeit annehmen

48

dergleichen keine Ahnung gehabt!« Vrenchen sah ihn liebe-
voll lächelnd an; sie lehnten sich an die Wand zurück und
sprachen nichts mehr, sondern gaben sich schweigend der
glückseligen Empfindung hin, die sich über allen Gram erhob, dass sie sich im größten Ernste gut wären und geliebt
wüssten. Darüber schliefen sie friedlich ein auf dem unbe-
quemen Herde, ohne Kissen und Pfühl, und schliefen so
sanft und ruhig wie zwei Kinder in einer Wiege. Schon
graute der Morgen, als Sali zuerst erwachte; er weckte
Vrenchen, so sacht er konnte; aber es duckte sich immer
wieder an ihn, schlaftrunken, und wollte sich nicht ermun-
tern. Da küsste er es heftig auf den Mund und Vrenchen
fuhr empor, machte die Augen weit auf, und als es Sali erblickte, rief es: »Herrgott! ich habe eben noch von dir geträumt! Es träumte mir, wir tanzten miteinander auf unserer Hochzeit, lange, lange Stunden! Und waren so glücklich, sauber geschmückt und es fehlte uns an nichts. Da
wollten wir uns endlich küssen und dürsteten darnach, aber
immer zog uns etwas auseinander, und nun bist du es selbst
gewesen, der uns gestört und gehindert hat! Aber wie gut,
dass du gleich da bist!« Gierig fiel es ihm um den Hals und
küsste ihn, als ob es kein Ende nehmen sollte. »Und was
hast du denn geträumt?«, fragte es und streichelte ihm
Wangen und Kinn. »Mir träumte, ich ginge endlos auf einer
langen Straße durch einen Wald und du in der Ferne immer
vor mir her; zuweilen sahest du nach mir um, winktest mir
und lachtest und dann war ich wie im Himmel. Das ist alles!« Sie traten unter die offengebliebene Küchentüre, die
unmittelbar ins Freie führte, und mussten lachen, als sie
sich ins Gesicht sahen. Denn die rechte Wange Vrenchens
und die linke Salis, welche im Schlafe aneinander gelehnt
hatten, waren von dem Drucke ganz rot gefärbt, während
die Blässe der anderen durch die kühle Nachtluft noch er-
höht war. Sie rieben sich zärtlich die kalte bleiche Seite ihrer Gesichter, um sie auch rot zu machen; die frische Morgenluft, der tauige stille Frieden, der über der Gegend lag,
das junge Morgenrot machten sie fröhlich und selbstverges-

7 **Pfühl:** Kissen, weiches Ruhebett

sen, und besonders in Vrenchen schien ein freundlicher Geist der Sorglosigkeit gefahren zu sein. »Morgen Abend muss ich also aus diesem Hause fort«, sagte es, »und ein anderes Obdach suchen. Vorher aber möchte ich *einmal*, nur *einmal* recht lustig sein, und zwar mit dir; ich möchte recht herzlich und fleißig mit dir tanzen irgendwo, denn das Tanzen aus dem Traume steckt mir immerfort im Sinn!« »Jedenfalls will ich dabei sein und sehen, wo du unterkommst«, sagte Sali, »und tanzen wollte ich auch gerne mit dir, du herziges Kind! aber wo?« »Es ist morgen Kirchweih an zwei Orten nicht sehr weit von hier«, erwiderte Vrenchen, »da kennt und beachtet man uns weniger; draußen am Wasser will ich auf dich warten, und dann können wir gehen, wohin es uns gefällt, um uns lustig zu machen, einmal, *ein Mal* nur! Aber je, wir haben ja gar kein Geld!«, setzte es traurig hinzu, »da kann nichts daraus werden!« »Lass nur«, sagte Sali, »ich will schon etwas mitbringen!« »Doch nicht von deinem Vater, von – von dem Gestohlenen?« »Nein, sei nur ruhig! Ich habe noch meine silberne Uhr bewahrt bis dahin, die will ich verkaufen!« »Ich will dir nicht abraten«, sagte Vrenchen errötend, »denn ich glaube, ich müsste sterben, wenn ich nicht morgen mit dir tanzen könnte.« »Es wäre das Beste, wir beide könnten sterben!«, sagte Sali; sie umarmten sich wehmütig und schmerzlich zum Abschied, und als sie voneinander ließen, lachten sie sich doch freundlich an in der sicheren Hoffnung auf den nächsten Tag. »Aber wann willst du denn kommen?«, rief Vrenchen noch. »Spätestens um eilf Uhr mittags«, erwiderte er, »wir wollen recht ordentlich zusammen Mittag essen!« »Gut, gut! komm lieber um halb eilf schon!« Doch als Sali schon im Gehen war, rief sie ihn noch einmal zurück und zeigte ein plötzlich verändertes verzweiflungsvolles Gesicht. »Es wird doch nichts daraus«, sagte sie bitterlich weinend, »ich habe keine Sonntagsschuhe mehr! Schon gestern habe ich diese groben hier anziehen müssen, um nach der Stadt zu kommen! Ich weiß keine Schuhe aufzubringen!« Sali stand ratlos und verblüfft.

---

10 **Kirchweih:** Kirmes, Volksfest zur Erinnerung an die Einweihung einer Kirche | 14 **uns lustig zu machen:** uns zu vergnügen | 28 **eilf:** elf

»Keine Schuhe!«, sagte er, »da musst du halt in diesen kommen!« »Nein, nein, in denen kann ich nicht tanzen!« »Nun, so müssen wir welche kaufen?« »Wo, mit was?« »Ei, in Seldwyl da gibt es Schuhläden genug! Geld werde ich in minder als zwei Stunden haben.« »Aber ich kann doch nicht mit dir in Seldwyl herumgehen, und dann wird das Geld nicht langen, auch noch Schuhe zu kaufen!« »Es muss! und ich will die Schuhe kaufen und morgen mitbringen!« »O du Närrchen, sie werden ja nicht passen, die du kaufst!« »So gib mir einen alten Schuh mit, oder halt, noch besser, ich will dir das Maß nehmen, das wird doch kein Hexenwerk sein!« »Das Maß nehmen? Wahrhaftig, daran hab ich nicht gedacht! Komm, komm, ich will dir ein Schnürchen suchen!« Sie setzte sich wieder auf den Herd, zog den Rock etwas zurück und streifte den Schuh vom Fuße, der noch von der gestrigen Reise her mit einem weißen Strumpfe bekleidet war. Sali kniete nieder und nahm, so gut er es verstand, das Maß, indem er den zierlichen Fuß der Länge und Breite nach umspannte mit dem Schnürchen und sorgfältig Knoten in dasselbe knüpfte. »Du Schuhmacher!«, sagte Vrenchen und lachte errötend und freundschaftlich zu ihm nieder. Sali wurde aber auch rot und hielt den Fuß fest in seinen Händen, länger als nötig war, sodass Vrenchen ihn, noch tiefer errötend, zurückzog, den verwirrten Sali aber noch einmal stürmisch umhalste und küsste, dann aber fortschickte.

Sobald er in der Stadt war, trug er seine Uhr zu einem Uhrmacher, der ihm sechs oder sieben Gulden dafür gab; für die silberne Kette bekam er auch einige Gulden, und er dünkte sich nun reich genug, denn er hatte, seit er groß war, nie so viel Geld besessen auf einmal. Wenn nur erst der Tag vorüber und der Sonntag angebrochen wäre, um das Glück damit zu erkaufen, das er sich von dem Tage versprach, dachte er; denn wenn das Übermorgen auch umso dunkler und unbekannter hereinragte, so gewann die ersehnte Lustbarkeit von morgen nur einen seltsamern erhöhten Glanz und Schein. Indessen brachte er die Zeit

---

28 **Gulden:** Schweizer Geldwährung im 19. Jahrhundert

noch leidlich hin, indem er ein Paar Schuhe für Vrenchen suchte, und dies war ihm das vergnügteste Geschäft, das er je betrieben. Er ging von einem Schuhmacher zum andern, ließ sich alle Weiberschuhe zeigen, die vorhanden waren, und endlich handelte er ein leichtes und feines Paar ein, so hübsch, wie sie Vrenchen noch nie getragen. Er verbarg die Schuhe unter seiner Weste und tat sie die übrige Zeit des Tages nicht mehr von sich; er nahm sie sogar mit ins Bett und legte sie unter das Kopfkissen. Da er das Mädchen heute früh noch gesehen und morgen wieder sehen sollte, so schlief er fest und ruhig, war aber in aller Frühe munter und begann seinen dürftigen Sonntagsstaat zurechtzumachen und auszuputzen, so gut es gelingen wollte. Es fiel seiner Mutter auf und sie fragte verwundert, was er vorhabe, da er sich schon lange nicht mehr so sorglich angezogen. Er wolle einmal über Land gehen und sich ein wenig umtun, erwiderte er, er werde sonst krank in diesem Hause. »Das ist mir die Zeit her ein merkwürdiges Leben«, murrte der Vater, »und ein Herumschleichen!« »Lass ihn nur gehen«, sagte aber die Mutter, »es tut ihm vielleicht gut, es ist ja ein Elend, wie er aussieht!« »Hast du Geld zum Spazierengehen? woher hast du es?«, sagte der Alte. »Ich brauche keines!«, sagte Sali. »Da hast du einen Gulden!«, versetzte der Alte und warf ihm denselben hin, »du kannst im Dorf ins Wirtshaus gehen und ihn dort verzehren, damit sie nicht glauben, wir seien hier so übel dran.« »Ich will nicht ins Dorf und brauche den Gulden nicht, behaltet ihn nur!« »So hast du ihn gehabt, es wäre schad, wenn du ihn haben müsstest, du Starrkopf!«, rief Manz und schob seinen Gulden wieder in die Tasche. Seine Frau aber, welche nicht wusste, warum sie heute ihres Sohnes wegen so wehmütig und gerührt war, brachte ihm ein großes schwarzes Mailänder Halstuch mit rotem Rande, das sie nur selten getragen und er schon früher gern gehabt hätte. Er schlang es um den Hals und ließ die langen Zipfel fliegen; auch stellte er zum ersten Mal den Hemdkragen, den er sonst immer umgeschlagen, ehrbar und männlich in die Höhe, bis über die

---

12 **Sonntagsstaat:** Kleidung an Festtagen

Ohren hinauf, in einer Anwandlung ländlichen Stolzes, und machte sich dann, seine Schuhe in der Brusttasche des Rockes, schon nach sieben Uhr auf den Weg. Als er die Stube verließ, drängte ihn ein seltsames Gefühl, Vater und Mutter die Hand zu geben, und auf der Straße sah er sich noch einmal nach dem Hause um. »Ich glaube am Ende«, sagte Manz, »der Bursche streicht irgendeinem Weibsbild nach; das hätten wir gerade noch nötig!« Die Frau sagte: »O wollte Gott! dass er vielleicht ein Glück machte! das täte dem armen Buben gut!« »Richtig!«, sagte der Mann, »das fehlt nicht! das wird ein himmlisches Glück geben, wenn er nur erst an eine solche Maultasche zu geraten das Unglück hat! das täte dem armen Bübchen gut! natürlich!«

Sali richtete seinen Schritt erst nach dem Flusse zu, wo er Vrenchen erwarten wollte; aber unterwegs ward er andern Sinnes und ging gradezu ins Dorf, um Vrenchen im Hause selbst abzuholen, weil es ihm zu lang währte bis halb eilf. »Was kümmern uns die Leute!«, dachte er. »Niemand hilft uns, und ich bin ehrlich und fürchte niemand!« So trat er unerwartet in Vrenchens Stube und ebenso unerwartet fand er es schon vollkommen angekleidet und geschmückt dasitzen und der Zeit harren, wo es gehen könne, nur die Schuhe fehlten ihm noch. Aber Sali stand mit offenem Munde still in der Mitte der Stube, als er das Mädchen erblickte, so schön sah es aus. Es hatte nur ein einfaches Kleid an von blau gefärbter Leinwand, aber dasselbe war frisch und sauber und saß ihm sehr gut um den schlanken Leib. Darüber trug es ein schneeweißes Musselinhalstuch, und dies war der ganze Anzug. Das braune gekräuselte Haar war sehr wohl geordnet, und die sonst so wilden Löckchen lagen nun fein und lieblich um den Kopf; da Vrenchen seit vielen Wochen fast nicht aus dem Hause gekommen, so war seine Farbe zarter und durchsichtiger geworden, sowie auch vom Kummer; aber in diese Durchsichtigkeit goss jetzt die Liebe und die Freude ein Rot um das andere, und an der Brust trug es einen schönen Blumenstrauß von Rosmarin, Rosen und prächtigen Astern. Es saß am offenen Fenster und at-

---

11 **das fehlt nicht!**: so wird es sein! | 12 **Maultasche**: geschwätzige Frau | 28 **Musselinhalstuch**: Musselin: feines Baumwollgewebe

mete still und hold die frisch durchsonnte Morgenluft; wie
es aber Sali erscheinen sah, streckte es ihm beide hübsche
Arme entgegen, welche vom Ellbogen an bloß waren, und
rief: »Wie Recht hast du, dass du schon jetzt und hierher
kommst! Aber hast du mir Schuhe gebracht? Gewiss? Nun
steh ich nicht auf, bis ich sie anhabe!« Er zog die Ersehnten
aus der Tasche und gab sie dem begierigen schönen Mädchen; es schleuderte die alten von sich, schlüpfte in die neu-
en, und sie passten sehr gut. Erst jetzt erhob es sich vom
Stuhl, wiegte sich in den neuen Schuhen und ging eifrig einige Mal auf und nieder. Es zog das lange blaue Kleid etwas
zurück und beschaute wohlgefällig die roten wollenen
Schleifen, welche die Schuhe zierten, während Sali unaufhörlich die feine reizende Gestalt betrachtete, welche da in
lieblicher Aufregung vor ihm sich regte und freute. »Du
beschaust meinen Strauß?«, sagte Vrenchen, »hab ich nicht
einen schönen zusammengebracht? Du musst wissen, dies
sind die letzten Blumen, die noch aufgefunden in dieser
Wüstenei. Hier war noch ein Röschen, dort eine Aster, und
wie sie nun gebunden sind, würde man es ihnen nicht ansehen, dass sie aus einem Untergange zusammengesucht sind!
Nun ist es aber Zeit, dass ich fortkomme, nicht ein Blüm-
chen mehr im Garten und das Haus auch leer!« Sali sah
sich um und bemerkte erst jetzt, dass alle Fahrhabe, die
noch dagewesen, weggebracht war. »Du armes Vreeli!«,
sagte er, »haben sie dir schon alles genommen?« »Gestern«,
erwiderte es, »haben sie's weggeholt, was sich von der Stelle
bewegen ließ, und mir kaum mehr mein Bett gelassen. Ich
hab's aber auch gleich verkauft und hab jetzt auch Geld,
sieh!« Es holte einige neu glänzende Talerstücke aus der Tasche seines Kleides und zeigte sie ihm. »Damit«, fuhr es
fort, »sagte der Waisenvogt, der auch hier war, solle ich mir
einen Dienst suchen in einer Stadt und ich solle mich heute
gleich auf den Weg machen!« »Da ist aber auch gar nichts
mehr vorhanden«, sagte Sali, nachdem er in die Küche ge-
guckt hatte, »ich sehe kein Hölzchen, kein Pfännchen, kein
Messer! Hast du denn auch nicht zu Morgen gegessen?«

---

24 **Fahrhabe:** bewegliche Sachen, die nicht als Gebäudebestandteil
gelten | 32 **Waisenvogt:** Vormund für elternlose Kinder

»Nichts!«, sagte Vrenchen, »ich hätte mir etwas holen können, aber ich dachte, ich wolle lieber hungrig bleiben, damit
ich recht viel essen könne mit dir zusammen, denn ich
freue mich so sehr darauf, du glaubst nicht, wie ich mich
freue!« »Wenn ich dich nur anrühren dürfte«, sagte Sali,
»so wollte ich dir zeigen, wie es mir ist, du schönes, schönes Ding!« »Du hast Recht, du würdest meinen ganzen
Staat verderben, und wenn wir die Blumen ein bisschen
schonen, so kommt es zugleich meinem armen Kopf zugut,
den du mir übel zuzurichten pflegst!« »So komm, jetzt
wollen wir ausrücken!« »Noch müssen wir warten, bis das
Bett abgeholt wird; denn nachher schließe ich das leere
Haus zu und gehe nicht mehr hierher zurück! Mein Bün-
delchen gebe ich der Frau aufzuheben, die das Bett gekauft
hat.« Sie setzten sich daher einander gegenüber und warte-
ten; die Bäuerin kam bald, eine vierschrötige Frau mit lau-
tem Mundwerk, und hatte einen Burschen bei sich, welcher
die Bettstelle tragen sollte. Als diese Frau Vrenchens Lieb-
haber erblickte und das geputzte Mädchen selbst, sperrte
sie Maul und Augen auf, stemmte die Arme unter und
schrie: »Ei sieh da, Vreeli! Du treibst es ja schon gut! Hast
einen Besucher und bist gerüstet wie eine Prinzess?« »Gelt
aber!«, sagte Vrenchen freundlich lachend, »wisst Ihr auch,
wer das ist?« »Ei, ich denke, das ist wohl der Sali Manz?
Berg und Tal kommen nicht zusammen, sagt man, aber die
Leute! Aber nimm dich doch in Acht, Kind, und denk, wie
es euren Eltern ergangen ist!« »Ei, das hat sich jetzt gewen-
det und alles ist gut geworden«, erwiderte Vrenchen lächelnd und freundlich mitteilsam, ja beinahe herablassend,
»seht, Sali ist mein Hochzeiter!« »Dein Hochzeiter! was du
sagst!« »Ja, und er ist ein reicher Herr, er hat hunderttausend Gulden in der Lotterie gewonnen! Denket einmal,
Frau!« Diese tat einen Sprung, schlug ganz erschrocken die
Hände zusammen und schrie: »Hund–hunderttausend Gulden!« »Hunderttausend Gulden!«, versicherte Vrenchen
ernsthaft. »Herr du meines Lebens! Es ist aber nicht wahr,
du lügst mich an, Kind!« »Nun, glaubt was Ihr wollt!«

---

8 **Staat:** festliche Kleidung | 11 **ausrücken:** das Haus verlassen, fortge-
hen | 16 **vierschrötige:** breit und kräftig gebaute, untersetzte und derbe

»Aber wenn es wahr ist und du heiratest ihn, was wollt ihr denn machen mit dem Gelde? Willst du wirklich eine vornehme Frau werden?« »Versteht sich, in drei Wochen halten wir die Hochzeit!« »Geh mir weg, du bist eine hässliche Lügnerin!« »Das schönste Haus hat er schon gekauft in Seldwyl mit einem großen Garten und Weinberg; Ihr müsst mich auch besuchen, wenn wir eingerichtet sind, ich zähle darauf!« »Allweg, du Teufelshexlein, was du bist!« »Ihr werdet sehen, wie schön es da ist! einen herrlichen Kaffee werde ich machen und Euch mit feinem Eierbrot aufwarten, mit Butter und Honig!« »O du Schelmenkind! zähl drauf, dass ich komme!«, rief die Frau mit lüsternem Gesicht und der Mund wässerte ihr. »Kommt Ihr aber um die Mittagszeit und seid ermüdet vom Markt, so soll Euch eine kräftige Fleischbrühe und ein Glas Wein immer parat stehen!« »Das wird mir bass tun!« »Und an etwas Zuckerwerk oder weißen Wecken für die lieben Kinder zu Hause soll es Euch auch nicht fehlen!« »Es wird mir ganz schmachtend!« »Ein artiges Halstüchelchen oder ein Restchen Seidenzeug oder ein hübsches altes Band für Eure Röcke oder ein Stück Zeug zu einer neuen Schürze wird gewiss auch zu finden sein, wenn wir meine Kisten und Kasten durchmustern in einer vertrauten Stunde!« Die Frau drehte sich auf den Hacken herum und schüttelte jauchzend ihre Röcke. »Und wenn Euer Mann ein vorteilhaftes Geschäft machen könnte mit einem Land- oder Viehhandel und er mangelt des Geldes, so wisst Ihr, wo Ihr anklopfen sollt. Mein lieber Sali wird froh sein, jederzeit ein Stück Bares sicher und erfreulich anzulegen! Ich selbst werde auch etwa einen Sparpfennig haben, einer vertrauten Freundin beizustehen!« Jetzt war der Frau nicht mehr zu helfen, sie sagte gerührt: »Ich habe immer gesagt, du seist ein braves und gutes und schönes Kind! Der Herr wolle es dir wohl ergehen lassen immer und ewiglich und es dir gesegnen, was du an mir tust!« »Dagegen verlange ich aber auch, dass Ihr es gut mit mir meint!« »Allweg kannst du das verlangen!« »Und dass Ihr jederzeit Eure Waren, sei es Obst, sei-

---

10 **Eierbrot**: weißes, mit Eiern und Butter gebackenes Festtagsbrot | 15 **parat**: bereit | 16 **bass**: gut, besser | 17 **Wecken**: Weizenbrötchen

en es Kartoffeln, sei es Gemüse, erst zu mir bringet und mir anbietet, ehe Ihr auf den Markt gehet, damit ich sicher sei, eine rechte Bäuerin an der Hand zu haben, auf die ich mich verlassen kann! Was irgend einer gibt für die Ware, werde ich gewiss auch geben mit tausend Freuden, Ihr kennt mich ja! Ach, es ist nichts Schöneres, als wenn eine wohlhabende Stadtfrau, die so ratlos in ihren Mauern sitzt und doch so vieler Dinge benötigt ist, und eine rechtschaffene ehrliche Landfrau, erfahren in allem Wichtigen und Nützlichen, eine gute und dauerhafte Freundschaft zusammen haben! Es kommt einem zugut in hundert Fällen, in Freud und Leid, bei Gevatterschaften und Hochzeiten, wenn die Kinder unterrichtet werden und konfirmiert, wenn sie in die Lehre kommen und wenn sie in die Fremde sollen! Bei Misswachs und Überschwemmungen, bei Feuersbrünsten und Hagelschlag, wofür uns Gott behüte!« »Wofür uns Gott behüte!«, sagte die gute Frau schluchzend und trocknete mit ihrer Schürze die Augen; »welch ein verständiges und tiefsinniges Bräutlein bist du, ja, dir wird es gut gehen, da müsste keine Gerechtigkeit in der Welt sein! Schön, sauber, klug und weise bist du, arbeitsam und geschickt zu allen Dingen! Keine ist feiner und besser als du, in und außer dem Dorfe, und wer dich hat, der muss meinen, er sei im Himmelreich, oder er ist ein Schelm und hat es mit mir zu tun. Hör, Sali! dass du nur recht artlich bist mit meinem Vreeli, oder ich will dir den Meister zeigen, du Glückskind, das du bist, ein solches Röslein zu brechen!« »So nehmt jetzt auch hier noch mein Bündel mit, wie Ihr mir versprochen habt, bis ich es abholen lassen werde! Vielleicht komme ich aber selbst in der Kutsche und hole es ab, wenn Ihr nichts dagegen habt! Ein Töpfchen Milch werdet Ihr mir nicht abschlagen alsdann, und etwa eine schöne Mandeltorte dazu werde ich schon selbst mitbringen!« »Tausendskind! Gib her den Bündel!« Vrenchen lud ihr auf das zusammengebundene Bett, das sie schon auf dem Kopfe trug, einen langen Sack, in welchen es sein Plunder und Habseliges gestopft, sodass die arme Frau mit einem schwanken-

---

12 **Gevatterschaften:** Patenschaften | 16 **wofür:** wovor | 24 **Schelm:** ehrlose Person, Betrüger | 25 **artlich:** freundlich | 33 f. **Tausendskind!:** Ausruf der begeisterten Anerkennung: tolles Kind

den Turme auf dem Haupte dastand. »Es wird mir doch fast zu schwer auf einmal«, sagte sie, »könnte ich nicht zweimal dran machen?« »Nein, nein! wir müssen jetzt augenblicklich gehen, denn wir haben einen weiten Weg, um vornehme Verwandte zu besuchen, die sich jetzt gezeigt haben, seit wir reich sind! Ihr wisst ja, wie es geht!« »Weiß wohl! So behüt' dich Gott und denk an mich in deiner Herrlichkeit!«

Die Bäuerin zog ab mit ihrem Bündelturme, mit Mühe das Gleichgewicht behauptend, und hinter ihr drein ging ihr Knechtchen, das sich in Vrenchens einst bunt bemalte Bettstatt hineinstellte, den Kopf gegen den mit verblichenen Sternen bedeckten Himmel derselben stemmte und, ein zweiter Simson, die zwei vorderen zierlich geschnitzten Säulen fasste, welche diesen Himmel trugen. Als Vrenchen, an Sali gelehnt, dem Zuge nachschaute und den wandelnden Tempel zwischen den Gärten sah, sagte es: »Das gäbe noch ein artiges Gartenhäuschen oder eine Laube, wenn man's in einen Garten pflanzte, ein Tischen und ein Bänklein drein stellte und Winden drum herumsäete! Wolltest du mit darin sitzen, Sali?« »Ja, Vreeli! besonders wenn die Winden aufgewachsen wären!« »Was stehen wir noch?«, sagte Vrenchen, »nichts hält uns mehr zurück!« »So komm und schließ das Haus zu! Wem willst du denn den Schlüssel übergeben?« Vrenchen sah sich um. »Hier an die Helbart wollen wir ihn hängen; sie ist über hundert Jahr in diesem Hause gewesen, habe ich den Vater oft sagen hören, nun steht sie da als der letzte Wächter!« Sie hingen den rostigen Hausschlüssel an einen rostigen Schnörkel der alten Waffe, an welcher die Bohnen rankten, und gingen davon. Vrenchen wurde aber bleicher und verhüllte ein Weilchen die Augen, dass Sali es führen musste, bis sie ein Dutzend Schritte entfernt waren. Es sah aber nicht zurück. »Wo gehen wir nun zuerst hin?«, fragte es. »Wir wollen ordentlich über Land gehen«, erwiderte Sali, »wo es uns freut den ganzen Tag, uns nicht übereilen, und gegen Abend werden wir dann schon einen Tanzplatz finden!« »Gut!«, sagte

---

14 **Simson:** alttestamentarische Heldengestalt von übermenschlicher Körperkraft | 20 **Winden:** sich emporrankende Pflanzen | 25 **Helbart:** Hellebarde, Hieb- und Stoßwaffe im Mittelalter

Vrenchen, »den ganzen Tag werden wir beisammen sein
und gehen, wo wir Lust haben. Jetzt ist mir aber elend, wir
wollen gleich im andern Dorf einen Kaffee trinken!« »Versteht
sich!«, sagte Sali, »mach nur, dass wir aus diesem Dorf
wegkommen!«

Bald waren sie auch im freien Felde und gingen still nebeneinander
durch die Fluren; es war ein schöner Sonntagmorgen
im September, keine Wolke stand am Himmel, die
Höhen und die Wälder waren mit einem zarten Duftgewebe
bekleidet, welches die Gegend geheimnisvoller und feierlicher
machte, und von allen Seiten tönten die Kirchenglocken
herüber, hier das harmonische tiefe Geläute einer
reichen Ortschaft, dort die geschwätzigen zwei Bimmelglöcklein
eines kleinen armen Dörfchens. Das liebende
Paar vergaß, was am Ende dieses Tages werden sollte, und
gab sich einzig der hoch aufatmenden wortlosen Freude
hin, sauber gekleidet und frei, wie zwei Glückliche, die sich
von Rechts wegen angehören, in den Sonntag hineinzuwandeln.
Jeder in der Sonntagsstille verhallende Ton oder
ferne Ruf klang ihnen erschütternd durch die Seele; denn
die Liebe ist eine Glocke, welche das Entlegenste und
Gleichgültigste wiedertönen lässt und in eine besondere
Musik verwandelt. Obgleich sie hungrig waren, dünkte sie
die halbe Stunde Weges bis zum nächsten Dorfe nur ein
Katzensprung lang zu sein, und sie betraten zögernd das
Wirtshaus am Eingang des Ortes. Sali bestellte ein gutes
Frühstück, und während es bereitet wurde, sahen sie mäuschenstill
der sicheren und freundlichen Wirtschaft in der
großen reinlichen Gaststube zu. Der Wirt war zugleich ein
Bäcker, das eben Gebackene durchduftete angenehm das
ganze Haus, und Brot allerart wurde in gehäuften Körben
herbeigetragen, da nach der Kirche die Leute hier ihr Weißbrot
holten oder ihren Frühschoppen tranken. Die Wirtin,
eine artige und saubere Frau, putzte gelassen und freundlich
ihre Kinder heraus, und sowie eines entlassen war, kam
es zutraulich zu Vrenchen gelaufen, zeigte ihm seine Herrlichkeiten
und erzählte von allem, dessen es sich erfreute

33 **Frühschoppen:** Glas Wein oder Bier

und rühmte. Wie nun der wohlduftende starke Kaffee kam, setzten sich die zwei Leutchen schüchtern an den Tisch, als ob sie da zu Gast gebeten wären. Sie ermunterten sich jedoch bald und flüsterten bescheiden, aber glückselig miteinander; ach, wie schmeckte dem aufblühenden Vrenchen der gute Kaffee, der fette Rahm, die frischen, noch warmen Brötchen, die schöne Butter und der Honig, der Eierkuchen und was alles noch für Leckerbissen da waren! Sie schmeckten ihm, weil es den Sali dazu ansah, und es aß so vergnügt, als ob es ein Jahr lang gefastet hätte. Dazu freute es sich über das feine Geschirr, über die silbernen Kaffeelöffelchen; denn die Wirtin schien sie für rechtliche junge Leutchen zu halten, die man anständig bedienen müsse, und setzte sich auch ab und zu plaudernd zu ihnen, und die beiden gaben ihr verständigen Bescheid, welches ihr gefiel. Es ward dem guten Vrenchen so wählig zumut, dass es nicht wusste, mochte es lieber wieder ins Freie, um allein mit seinem Schatz herumzuschweifen durch Auen und Wälder, oder mochte es lieber in der gastlichen Stube bleiben, um wenigstens auf Stunden sich an einem stattlichen Orte zu Hause zu träumen. Doch Sali erleichterte die Wahl, indem er ehrbar und geschäftig zum Aufbruch mahnte, als ob sie einen bestimmten und wichtigen Weg zu machen hätten. Die Wirtin und der Wirt begleiteten sie bis vor das Haus und entließen sie auf das wohlwollendste wegen ihres guten Benehmens, trotz der durchscheinenden Dürftigkeit, und das arme junge Blut verabschiedete sich mit den besten Manieren von der Welt und wandelte sittig und ehrbar von hinnen. Aber auch als sie schon wieder im Freien waren und einen stundenlangen Eichwald betraten, gingen sie noch in dieser Weise nebeneinander her, in angenehme Träume vertieft, als ob sie nicht aus zank- und elenderfüllten vernichteten Häusern herkämen, sondern guter Leute Kinder wären, welche in lieblicher Hoffnung wandelten. Vrenchen senkte das Köpfchen tiefsinnig gegen seine blumengeschmückte Brust und ging, die Hände sorglich an das Gewand gelegt, einer auf dem glatten feuchten Waldbo-

---

12 **rechtliche:** ordentliche | 15 **verständigen Bescheid:** vernünftige Auskunft | 16 **wählig:** munter, übermütig | 28 **sittig:** sittsam

den; Sali dagegen schritt schlank aufgerichtet, rasch und nachdenklich, die Augen auf die festen Eichenstämme geheftet, wie ein Bauer, der überlegt, welche Bäume er am vorteilhaftesten fällen soll. Endlich erwachten sie aus diesen vergeblichen Träumen, sahen sich an und entdeckten, dass sie immer noch in der Haltung gingen, in welcher sie das Gasthaus verlassen, erröteten und ließen traurig die Köpfe hängen. Aber Jugend hat keine Tugend; der Wald war grün, der Himmel blau und sie allein in der weiten Welt, und sie überließen sich alsbald diesem Gefühle. Doch blieben sie nicht lange mehr allein, da die schöne Waldstraße sich belebte mit lustwandelnden Gruppen von jungen Leuten sowie mit einzelnen Paaren, welche schäkernd und singend die Zeit nach der Kirche verbrachten. Denn die Landleute haben so gut ihre ausgesuchten Promenaden und Lustwälder wie die Städter, nur mit dem Unterschied, dass dieselben keine Unterhaltung kosten und noch schöner sind; sie spazieren nicht nur mit einem besondern Sinn des Sonntags durch ihre blühenden und reifenden Felder, sondern sie machen sehr gewählte Gänge durch Gehölze und an grünen Halden entlang, setzen sich hier auf eine anmutige fernsichtige Höhe, dort an einen Waldrand, lassen die Lieder ertönen und die schöne Wildnis ganz behaglich auf sich einwirken; und da sie dies offenbar nicht zu ihrer Pönitenz tun, sondern zu ihrem Vergnügen, so ist wohl anzunehmen, dass sie Sinn für die Natur haben, auch abgesehen von ihrer Nützlichkeit. Immer brechen sie was Grünes ab, junge Bursche wie alte Mütterchen, welche die alten Wege ihrer Jugend aufsuchen, und selbst steife Landmänner in den besten Geschäftsjahren, wenn sie über Land gehen, schneiden sich gern eine schlanke Gerte, sobald sie durch einen Wald gehen, und schälen die Blätter ab, von denen sie nur oben ein grünes Büschel stehen lassen. Solche Rute tragen sie wie ein Szepter vor sich hin; wenn sie in eine Amtsstube oder Kanzlei treten, so stellen sie die Gerte ehrerbietig in einen Winkel, vergessen aber auch nach den ernstesten Verhandlungen nie, dieselbe säuberlich wieder mitzunehmen

---

15 **Promenaden:** Spazierwege | 21 **Halden:** Abhängen | 24 **Pönitenz:** (kirchliche) Buße

und unversehrt nach Hause zu tragen, wo es erst dem kleinsten Söhnchen gestattet ist, sie zugrunde zu richten. – Als Sali und Vrenchen die vielen Spaziergänger sahen, lachten sie ins Fäustchen und freuten sich, auch gepaart zu sein, schlüpften aber seitwärts auf engere Waldpfade, wo sie sich in tiefen Einsamkeiten verloren. Sie hielten sich auf, wo es sie freute, eilten vorwärts und ruhten wieder, und wie keine Wolke am reinen Himmel stand, trübte auch keine Sorge in diesen Stunden ihr Gemüt; sie vergaßen, woher sie kamen und wohin sie gingen, und benahmen sich so fein und ordentlich dabei, dass trotz aller frohen Erregung und Bewegung Vrenchens niedlicher einfacher Aufputz so frisch und unversehrt blieb, wie er am Morgen gewesen war. Sali betrug sich auf diesem Wege nicht wie ein beinahe zwanzigjähriger Landbursche oder der Sohn eines verkommenen Schenkwirtes, sondern wie wenn er einige Jahre jünger und sehr wohl erzogen wäre, und es war beinahe komisch, wie er nur immer sein feines lustiges Vrenchen ansah, voll Zärtlichkeit, Sorgfalt und Achtung. Denn die armen Leutchen mussten an diesem einen Tage, der ihnen vergönnt war, alle Manieren und Stimmungen der Liebe durchleben und sowohl die verlorenen Tage der zarteren Zeit nachholen als das leidenschaftliche Ende vorausnehmen mit der Hingabe ihres Lebens.

So liefen sie sich wieder hungrig und waren erfreut, von der Höhe eines schattenreichen Berges ein glänzendes Dorf vor sich zu sehen, wo sie Mittag halten wollten. Sie stiegen rasch hinunter, betraten dann aber ebenso sittsam diesen Ort, wie sie den vorigen verlassen. Es war niemand um den Weg, der sie erkannt hätte; denn besonders Vrenchen war die letzten Jahre hindurch gar nicht unter die Leute und noch weniger in andere Dörfer gekommen. Deshalb stellten sie ein wohlgefälliges ehrsames Pärchen vor, das irgendeinen angelegentlichen Gang tut. Sie gingen ins erste Wirtshaus des Dorfes, wo Sali ein erkleckliches Mahl bestellte; ein eigener Tisch wurde ihnen sonntäglich gedeckt und sie saßen wieder still und bescheiden daran und beguckten die

---

12 **Aufputz:** schmückende Kleidung | 35 **erkleckliches:** reichliches, beträchtliches

schön getäfelten Wände von gebohntem Nussbaumholz, das ländliche, aber glänzende und wohlbestellte Buffet von gleichem Holze und die klaren weißen Fenstervorhänge. Die Wirtin trat zutulich herzu und setzte ein Geschirr voll frischer Blumen auf den Tisch. »Bis die Suppe kommt«, sagte sie, »könnt ihr, wenn es euch gefällig ist, einstweilen die Augen sättigen an dem Strauße. Allem Anschein nach, wenn es erlaubt ist zu fragen, seid ihr ein junges Brautpaar, das gewiss nach der Stadt geht, um sich morgen kopulieren zu lassen?« Vrenchen wurde rot und wagte nicht aufzusehen, Sali sagte auch nichts und die Wirtin fuhr fort: »Nun, ihr seid freilich beide noch wohl jung, aber jung geheiratet lebt lang, sagt man zuweilen, und ihr seht wenigstens hübsch und brav aus und braucht euch nicht zu verbergen. Ordentliche Leute können etwas zuwege bringen, wenn sie so jung zusammenkommen und fleißig und treu sind. Aber das muss man freilich sein, denn die Zeit ist kurz und doch lang und es kommen viele Tage, viele Tage! Je nun, schön genug sind sie und amüsant dazu, wenn man gut haushält damit! Nichts für ungut, aber es freut mich, euch anzusehen, so ein schmuckes Pärchen seid ihr!« Die Kellnerin brachte die Suppe, und da sie einen Teil dieser Worte noch gehört und lieber selbst geheiratet hätte, so sah sie Vrenchen mit scheelen Augen an, welches nach ihrer Meinung so gedeihliche Wege ging. In der Nebenstube ließ die unliebliche Person ihren Unmut frei und sagte zur Wirtin, welche dort zu schaffen hatte, so laut, dass man es hören konnte: »Das ist wieder ein rechtes Hudelvölkchen, das, wie es geht und steht, nach der Stadt läuft und sich kopulieren lässt, ohne einen Pfennig, ohne Freunde, ohne Aussteuer und ohne Aussicht als auf Armut und Bettelei! Wo soll das noch hinaus, wenn solche Dinger heiraten, die die Jüppe noch nicht allein anziehen und keine Suppe kochen können? Ach der hübsche junge Mensch kann mich nur dauern, der ist schön petschiert mit seiner jungen Gungeline!« »Bscht! willst du wohl schweigen, du hässiges Ding!«, sagte die Wirtin, »denen lasse ich nichts geschehen! Das

---

1 **gebohntem**: poliertem | 2 **Buffet**: Geschirrschrank, Anrichte | 4 **zutulich**: zutraulich | 9 **kopulieren**: (veraltet) verheiraten | 24 **scheelen**: neidischen | 25 **gedeihliche**: vorteilhafte | 28 **Hudelvölkchen**: abwertend für ›niederes‹ Volk | 33 **Jüppe**: kurze Jacke | 35 **petschiert**: angeschmiert | 35 f. **Gungeline**: liederliche Frau | 36 **hässiges**: gehässiges

sind gewiss zwei recht ordentliche Leutlein aus den Bergen, wo die Fabriken sind; dürftig sind sie gekleidet, aber sauber, und wenn sie sich nur gern haben und arbeitsam sind, so werden sie weiter kommen als du mit deinem bösen Maul! Du kannst freilich noch lang warten, bis dich einer abholt, wenn du nicht freundlicher bist, du Essighafen!«

So genoss Vrenchen alle Wonnen einer Braut, die zur Hochzeit reiset: die wohlwollende Ansprache und Aufmunterung einer sehr vernünftigen Frau, den Neid einer heiratslustigen bösen Person, welche aus Ärger den Geliebten lobte und bedauerte, und ein leckeres Mittagsmahl an der Seite eben dieses Geliebten. Es glühte im Gesicht wie eine rote Nelke, das Herz klopfte ihm, aber es aß und trank nichtsdestominder mit gutem Appetit und war mit der aufwartenden Kellnerin nur umso artiger, konnte aber nicht unterlassen, dabei den Sali zärtlich anzusehen und mit ihm zu lispeln, sodass es diesem auch ganz kraus im Gemüt wurde. Sie saßen indessen lang und gemächlich am Tische, wie wenn sie zögerten und sich scheuten, aus der holden Täuschung herauszugehen. Die Wirtin brachte zum Nachtisch süßes Backwerk und Sali bestellte feinern und stärkern Wein dazu, welcher Vrenchen feurig durch die Adern rollte, als es ein wenig davon trank; aber es nahm sich in Acht, nippte bloß zuweilen und saß so züchtig und verschämt da wie eine wirkliche Braut. Halb spielte es aus Schalkheit diese Rolle und aus Lust, zu versuchen, wie es tue, halb war es ihm in der Tat so zumut und vor Bangigkeit und heißer Liebe wollte ihm das Herz brechen, sodass es ihm zu eng ward innerhalb der vier Wände und es zu gehen begehrte. Es war, als ob sie sich scheuten, auf dem Wege wieder so abseits und allein zu sein; denn sie gingen unverabredet auf der Hauptstraße weiter, mitten durch die Leute, und sahen weder rechts noch links. Als sie aber aus dem Dorfe waren und auf das nächstgelegene zugingen, wo Kirchweih war, hing sich Vrenchen an Salis Arm und flüsterte mit zitternden Worten: »Sali! warum sollen wir uns nicht haben und glücklich sein?« »Ich weiß auch nicht war-

6 **Essighafen:** Essigtopf, hier im übertragenen Sinn: schlechtgelaunte Frau | 26 **Schalkheit:** Witz, Spaß | 35 **Kirchweih:** Kirmes, Volksfest zur Erinnerung an die Einweihung einer Kirche

um!«, erwiderte er und heftete seine Augen an den milden Herbstsonnenschein, der auf den Auen webte, und er musste sich bezwingen und das Gesicht ganz sonderbar verziehen. Sie standen still, um sich zu küssen; aber es zeigten sich Leute, und sie unterließen es und zogen weiter. Das große Kirchdorf, in dem Kirchweih war, belebte sich schon von der Lust des Volkes; aus dem stattlichen Gasthofe tönte eine pomphafte Tanzmusik, da die jungen Dörfler bereits um Mittag den Tanz angehoben, und auf dem Platz vor dem Wirtshause war ein kleiner Markt aufgeschlagen, bestehend aus einigen Tischen mit Süßigkeiten und Backwerk und ein paar Buden mit Flitterstaat, um welche sich die Kinder und dasjenige Volk drängten, welches sich einstweilen mehr mit Zusehen begnügte. Sali und Vrenchen traten auch zu den Herrlichkeiten und ließen ihre Augen darüber fliegen; denn beide hatten zugleich die Hand in der Tasche und jedes wünschte dem anderen etwas zu schenken, da sie zum ersten und einzigen Male miteinander zu Markt waren; Sali kaufte ein großes Haus von Lebkuchen, das mit Zuckerguss freundlich geweißt war, mit einem grünen Dach, auf welchem weiße Tauben saßen und aus dessen Schornstein ein Amörchen guckte als Kaminfeger; an den offenen Fenstern umarmten sich pausbäckige Leutchen mit winzig kleinen roten Mündchen, die sich recht eigentlich küssten, da der flüchtige praktische Maler mit einem Kleckschen gleich zwei Mündchen gemacht, die so ineinander verflossen. Schwarze Pünktchen stellten muntere Äuglein vor. Auf der rosenroten Haustür aber waren diese Verse zu lesen:

> Tritt in mein Haus, o Liebste!
> Doch sei dir unverhehlt:
> Drin wird allein nach Küssen
> Gerechnet und gezählt.

> Die Liebste sprach: »O Liebster,
> Mich schrecket nichts zurück!

---

9 **angehoben:** begonnen | 12 **Flitterstaat:** glitzernde, aber unechte, wertlose Gegenstände | 22 **Amörchen:** kleine Knabenfigur als Darstellung des römischen Liebesgottes Amor

Hab alles wohl erwogen:
In dir nur lebt mein Glück!

Und wenn ich's recht bedenke,
Kam ich deswegen auch!«
Nun denn, spazier mit Segen
Herein und üb den Brauch!

Ein Herr in einem blauen Frack und eine Dame mit einem sehr hohen Busen komplimentierten sich diesen Versen gemäß in das Haus hinein, links und rechts an die Mauer gemalt. Vrenchen schenkte Sali dagegen ein Herz, auf dessen einer Seite ein Zettelchen klebte mit den Worten:

Ein süßer Mandelkern steckt in dem Herze hier,
Doch süßer als der Mandelkern ist meine Lieb zu dir!

Und auf der anderen Seite:

Wenn du dies Herz gegessen, vergiss dies Sprüchlein
nicht:
Viel eh'r als meine Liebe mein braunes Auge bricht!

Sie lasen eifrig die Sprüche und nie ist etwas Gereimtes und Gedrucktes schöner befunden und tiefer empfunden worden als diese Pfefferkuchensprüche; sie hielten, was sie lasen, in besonderer Absicht auf sich gemacht, so gut schien es ihnen zu passen. »Ach«, seufzte Vrenchen, »du schenkst mir ein Haus! Ich habe dir auch eines und erst das wahre geschenkt; denn unser Herz ist jetzt unser Haus, darin wir wohnen, und wir tragen so unsere Wohnung mit uns, wie die Schnecken! Andere haben wir nicht!« »Dann sind wir aber zwei Schnecken, von denen jede das Häuschen der andern trägt!«, sagte Sali, und Vrenchen erwiderte: »Desto weniger dürfen wir voneinander gehen, damit jedes seiner Wohnung nah bleibt!« Doch wussten sie nicht, dass sie in ihren Reden ebensolche Witze machten als auf den vielfach geformten Lebkuchen zu lesen waren, und fuhren fort diese süße, einfache Liebesliteratur zu studieren, die da ausgebreitet lag und besonders auf vielfach verzierte kleine und große Herzen geklebt war. Alles dünkte sie schön und einzig zutreffend; als Vrenchen auf einem vergoldeten Herzen, das wie eine Lyra mit Saiten bespannt war, las: »Mein Herz ist wie ein Zitherspiel, rührt man es viel, so tönt es viel!« ward ihm so musikalisch zumut, dass es glaubte, sein eigenes Herz klingen zu hören. Ein Napoleonsbild war da, welches aber auch der Träger eines verliebten Spruches sein musste, denn es stand darunter geschrieben: »Groß war der Held Napoleon, sein Schwert von Stahl, sein Herz von Ton; meine Liebe trägt ein Röslein frei, doch ist ihr Herz wie Stahl so treu!« – Während sie aber beiderseitig in das Lesen vertieft schienen, nahm jedes die Gelegenheit wahr, einen heimlichen Einkauf zu machen. Sali kaufte für Vrenchen ein vergoldetes Ringelchen mit einem grünen Glassteinchen, und Vrenchen einen Ring von schwarzem Gemshorn, auf welchem ein goldenes Vergissmeinnicht eingelegt war. Wahrscheinlich hatten sie den gleichen Gedanken, sich diese armen Zeichen bei der Trennung zu geben.

Während sie in diese Dinge sich versenkten, waren sie so vergessen, dass sie nicht bemerkten, wie nach und nach ein weiter Ring sich um sie gebildet hatte von Leuten, die sie aufmerksam und neugierig betrachteten. Denn da viele junge Bursche und Mädchen aus ihrem Dorfe hier waren, so waren sie erkannt worden, und alles stand jetzt in einiger Entfernung um sie herum und sah mit Verwunderung auf das wohlgeputzte Paar, welches in andächtiger Innigkeit die Welt um sich her zu vergessen schien. »Ei seht!«, hieß es, »das ist ja wahrhaftig das Vrenchen Marti und der Sali aus der Stadt! Die haben sich ja säuberlich gefunden und verbunden! Und welche Zärtlichkeit und Freundschaft, seht doch, seht! Wo die wohl hinauswollen?« Die Verwunderung dieser Zuschauer war ganz seltsam gemischt aus Mitleid mit dem Unglück, aus Verachtung der Verkommenheit und Schlechtigkeit der Eltern und aus Neid gegen das

---

6 **Lyra:** Saiten-, Zupfinstrument | 18 f. **Gemshorn:** Stück vom Horn einer Gemse

Glück und die Einigkeit des Paares, welches auf eine ganz ungewöhnliche und fast vornehme Weise verliebt und aufgeregt war und in dieser rückhaltlosen Hingebung und Selbstvergessenheit dem rohen Völkchen ebenso fremd erschien wie in seiner Verlassenheit und Armut. Als sie daher endlich aufwachten und um sich sahen, erschauten sie nichts als gaffende Gesichter von allen Seiten; niemand grüßte sie und sie wussten nicht, sollten sie jemand grüßen, und diese Verfremdung und Unfreundlichkeit war von beiden Seiten mehr Verlegenheit als Absicht. Es wurde Vrenchen bang und heiß, es wurde bleich und rot, Sali nahm es aber bei der Hand und führte das arme Wesen hinweg, das ihm mit seinem Haus in der Hand willig folgte, obgleich die Trompeten im Wirtshause lustig schmetterten und Vrenchen so gern tanzen wollte. »Hier können wir nicht tanzen!«, sagte Sali, als sie sich etwas entfernt hatten, »wir würden hier wenig Freude haben, wie es scheint!« »Jedenfalls«, sagte Vrenchen traurig, »es wird auch am besten sein, wir lassen es ganz bleiben und ich sehe, wo ich ein Unterkommen finde!« »Nein«, rief Sali, »du sollst einmal tanzen, ich habe dir darum Schuhe gebracht! Wir wollen gehen, wo das arme Volk sich lustig macht, zu dem wir jetzt auch gehören, da werden sie uns nicht verachten; im Paradiesgärtchen wird jedes Mal auch getanzt, wenn hier Kirchweih ist, da es in die Kirchgemeinde gehört, und dorthin wollen wir gehen, dort kannst du zur Not auch übernachten.« Vrenchen schauerte zusammen bei dem Gedanken, nun zum ersten Mal an einem unbekannten Ort zu schlafen; doch folgte es willenlos seinem Führer, der jetzt alles war, was es in der Welt hatte. Das Paradiesgärtlein war ein schön gelegenes Wirtshaus an einer einsamen Berghalde, das weit über das Land wegsah, in welchem aber an solchen Vergnügungstagen nur das ärmere Volk, die Kinder der ganz kleinen Bauern und Tagelöhner und sogar mancherlei fahrendes Gesinde verkehrte. Vor hundert Jahren war es als kleines Landhaus von einem reichen Sonderling gebaut worden, nach welchem niemand mehr da wohnen mochte, und da der Platz sonst zu nichts zu gebrauchen war, so geriet der wunderliche Landsitz in Verfall und zuletzt in die Hände eines Wirtes, der da sein Wesen trieb. Der Name und die demselben entsprechende Bauart waren aber dem Hause geblieben. Es bestand nur aus einem Erdgeschoss, über welchem ein offener Estrich gebaut war, dessen Dach an den vier Ecken von Bildern aus Sandstein getragen wurde, so die vier Erzengel vorstellten und gänzlich verwittert waren. Auf dem Gesimse des Daches saßen ringsherum kleine musizierende Engel mit dicken Köpfen und Bäuchen, den Triangel, die Geige, die Flöte, Zimbel und Tamburin spielend, ebenfalls aus Sandstein, und die Instrumente waren ursprünglich vergoldet gewesen. Die Decke inwendig sowie die Brustwehr des Estrichs und das übrige Gemäuer des Hauses waren mit verwaschenen Freskomalereien bedeckt, welche lustige Engelscharen sowie singende und tanzende Heilige darstellten. Aber alles war verwischt und undeutlich wie ein Traum und überdies reichlich mit Weinreben übersponnen, und blaue reifende Trauben hingen überall in dem Laube. Um das Haus herum standen verwilderte Kastanienbäume, und knorrige starke Rosenbüsche, auf eigene Hand fortlebend, wuchsen da und dort so wild herum wie anderswo die Holunderbäume. Der Estrich diente zum Tanzsaal; als Sali mit Vrenchen daherkam, sahen sie schon von weitem die Paare unter dem offenen Dache sich drehen, und rund um das Haus zechten und lärmten eine Menge lustiger Gäste. Vrenchen, welches andächtig und wehmütig sein Liebeshaus trug, glich einer heiligen Kirchenpatronin auf alten Bildern, welche das Modell eines Domes oder Klosters auf der Hand hält, so sie gestiftet; aber aus der frommen Stiftung, die ihm im Sinne lag, konnte nichts werden. Als es aber die wilde Musik hörte, welche vom Estrich ertönte, vergaß es sein Leid und verlangte endlich nichts als mit Sali zu tanzen. Sie drängten sich durch die Gäste, die vor dem Hause saßen und in der Stube, verlumpte Leute aus Seldwyla, die eine billige Landpartie machten, armes Volk von allen Enden, und stiegen

---

6 **Estrich:** schweizerisch für Dachboden | 8 **Erzengel:** Gabriel, Michael, Raffael, Uriel | 9 **Gesimse:** Vorsprünge | 11 **Zimbel:** Musikinstrument aus zwei metallenen Tellern | 11 f. **Tamburin:** flache Handtrommel | 14 **Brustwehr:** Brüstung, Geländer | 15 f. **Freskomalereien:** Wandmalereien | 29 **Kirchenpatronin:** Schutzheilige einer Kirche

die Treppe hinauf, und sogleich drehten sie sich im Walzer herum, keinen Blick voneinander abwendend. Erst als der Walzer zu Ende, sahen sie sich um; Vrenchen hatte sein Haus zerdrückt und zerbrochen und wollte eben betrübt darüber werden, als es noch mehr erschrak über den schwarzen Geiger, in dessen Nähe sie standen. Er saß auf einer Bank, die auf einem Tische stand, und sah so schwarz aus wie gewöhnlich; nur hatte er heute einen grünen Tannenbusch auf sein Hütchen gesteckt, zu seinen Füßen hatte er eine Flasche Rotwein und ein Glas stehen, welche er nie umstieß, obgleich er fortwährend mit den Beinen strampelte, wenn er geigte, und so eine Art Eiertanz damit vollbrachte. Neben ihm saß noch ein schöner, aber trauriger junger Mensch mit einem Waldhorn, und ein Buckliger stand an einer Bassgeige. Sali erschrak auch, als er den Geiger erblickte; dieser grüßte sie aber auf das freundlichste und rief: »Ich habe doch gewusst, dass ich euch noch einmal aufspielen werde! So macht euch nur recht lustig, ihr Schätzchen, und tut mir Bescheid!« Er bot Sali das volle Glas und Sali trank und tat ihm Bescheid. Als der Geiger sah, wie erschrocken Vrenchen war, suchte er ihr freundlich zuzureden und machte einige fast anmutige Scherze, die es zum Lachen brachten. Es ermunterte sich wieder, und nun waren sie froh, hier einen Bekannten zu haben und gewissermaßen unter dem besondern Schutze des Geigers zu stehen. Sie tanzten nun ohne Unterlass, sich und die Welt vergessend in dem Drehen, Singen und Lärmen, welches in und außer dem Hause rumorte und vom Berge weit in die Gegend hinausschallte, welche sich allmählich in den silbernen Duft des Herbstabends hüllte. Sie tanzten, bis es dunkelte und der größere Teil der lustigen Gäste sich schwankend und johlend nach allen Seiten entfernte. Was noch zurückblieb, war das eigentliche Hudelvölkchen, welches nirgends zu Hause war und sich zum guten Tag auch noch eine gute Nacht machen wollte. Unter diesen waren einige, welche mit dem Geiger gut bekannt schienen und fremdartig aussahen in ihrer zusammengewürfelten Tracht.

---

12 **Eiertanz:** Geschicklichkeitstanz

Besonders ein junger Bursche fiel auf, der eine grüne Manchesterjacke trug und einen zerknitterten Strohhut, um den er einen Kranz von Ebereschen oder Vogelbeerbüscheln gebunden hatte. Dieser führte eine wilde Person mit sich, die einen Rock von kirschrotem weiß getüpfeltem Kattun trug und sich einen Reifen von Rebenschossen um den Kopf gebunden, sodass an jeder Schläfe eine blaue Traube hing. Dies Paar war das ausgelassenste von allen, tanzte und sang unermüdlich und war in allen Ecken zugleich. Dann war noch ein schlankes hübsches Mädchen da, welches ein schwarzseidenes abgeschossenes Kleid trug und ein weißes Tuch um den Kopf, dass der Zipfel über den Rücken fiel. Das Tuch zeigte rote, eingewobene Streifen und war eine gute leinene Handzwehle oder Serviette. Darunter leuchteten aber ein Paar veilchenblaue Augen hervor. Um den Hals und auf der Brust hing eine sechsfache Kette von Vogelbeeren auf einen Faden gezogen und ersetzte die schönste Korallenschnur. Diese Gestalt tanzte fortwährend allein mit sich selbst und verweigerte hartnäckig mit einem der Gesellen zu tanzen. Nichtsdestominder bewegte sie sich anmutig und leicht herum und lächelte jedes Mal, wenn sie sich an dem traurigen Waldhornbläser vorüberdrehte, wozu dieser immer den Kopf abwandte. Noch einige andere vergnügte Frauensleute waren da mit ihren Beschützern, alle von dürftigem Aussehen, aber sie waren umso lustiger und in bester Eintracht untereinander. Als es gänzlich dunkel war, wollte der Wirt keine Lichter anzünden, da er behauptete, der Wind lösche sie aus, auch ginge der Vollmond sogleich auf und für das, was ihm diese Herrschaften einbrächten, sei das Mondlicht gut genug. Diese Eröffnung wurde mit großem Wohlgefallen aufgenommen; die ganze Gesellschaft stellte sich an die Brüstung des luftigen Saales und sah dem Aufgange des Gestirnes entgegen, dessen Röte schon am Horizonte stand; und sobald der Mond aufging und sein Licht quer durch den Estrich des Paradiesgärtels warf, tanzten sie im Mondschein weiter, und zwar so still, artig und seelenvergnügt, als ob sie im Glanze von hundert

---

1 f. **Manchesterjacke:** Kleidungsstück aus kräftigem Kordsamt |
3 **Ebereschen:** Vogelbeerbaum mit kugelförmigen roten Früchten |
6 **Rebenschossen:** Zweige des Weinstocks | 11 **abgeschossenes:** verblichenes | 14 **Handzwehle:** Handtuch | 32 **Brüstung:** Geländer

Wachskerzen tanzten. Das seltsame Licht machte alle vertrauter, und so konnten Sali und Vrenchen nicht umhin, sich unter die gemeinsame Lustbarkeit zu mischen und auch mit andern zu tanzen. Aber jedes Mal, wenn sie ein Weilchen getrennt gewesen, flogen sie zusammen und feierten ein Wiedersehen, als ob sie sich jahrelang gesucht und endlich gefunden. Sali machte ein trauriges und unmutiges Gesicht, wenn er mit einer anderen tanzte, und drehte fortwährend das Gesicht nach Vrenchen hin, welches ihn nicht ansah, wenn es vorüberschwebte, glühte wie eine Purpurrose und überglücklich schien, mit wem es auch tanzte. »Bist du eifersüchtig, Sali?«, fragte es ihn, als die Musikanten müde waren und aufhörten. »Gott bewahre!«, sagte er, »ich wüsste nicht, wie ich es anfangen sollte!« »Warum bist du denn so bös, wenn ich mit andern tanze?« »Ich bin nicht darüber bös, sondern weil ich mit andern tanzen muss! Ich kann kein anderes Mädchen ausstehen, es ist mir, als wenn ich ein Stück Holz im Arm habe, wenn du es nicht bist! Und du? wie geht es dir?« »Oh, ich bin immer wie im Himmel, wenn ich nur tanze und weiß, dass du zugegen bist! Aber ich glaube, ich würde sogleich tot umfallen, wenn du weggingest und mich daließest!« Sie waren hinabgegangen und standen vor dem Hause; Vrenchen umschloss ihn mit beiden Armen, schmiegte seinen schlanken zitternden Leib an ihn, drückte seine glühende Wange, die von heißen Tränen feucht war, an sein Gesicht und sagte schluchzend: »Wir können nicht zusammen sein und doch kann ich nicht von dir lassen, nicht einen Augenblick mehr, nicht eine Minute!« Sali umarmte und drückte das Mädchen heftig an sich und bedeckte es mit Küssen. Seine verwirrten Gedanken rangen nach einem Ausweg, aber er sah keinen. Wenn auch das Elend und die Hoffnungslosigkeit seiner Herkunft zu überwinden gewesen wären, so war seine Jugend und unerfahrene Leidenschaft nicht beschaffen, sich eine lange Zeit der Prüfung und Entsagung vorzunehmen und zu überstehen, und dann wäre erst noch Vrenchens Vater dagewesen, welchen er zeitlebens elend gemacht. Das Gefühl, in der bürgerlichen Welt nur in einer ganz ehrlichen und gewissenfreien Ehe glücklich sein zu können, war in ihm ebenso lebendig wie in Vrenchen, und in beiden verlassenen Wesen war es die letzte Flamme der Ehre, die in früheren Zeiten in ihren Häusern geglüht hatte und welche die sich sicher fühlenden Väter durch einen unscheinbaren Missgriff ausgeblasen und zerstört hatten, als sie, eben diese Ehre zu äufnen wähnend durch Vermehrung ihres Eigentums, so gedankenlos sich das Gut eines Verschollenen aneigneten, ganz gefahrlos, wie sie meinten. Das geschieht nun freilich alle Tage; aber zuweilen stellt das Schicksal ein Exempel auf und lässt zwei solche Äufner ihrer Hausehre und ihres Gutes zusammentreffen, die sich dann unfehlbar aufreiben und auffressen wie zwei wilde Tiere. Denn die Mehrer des Reiches verrechnen sich nicht nur auf den Thronen, sondern zuweilen auch in den niedersten Hütten und langen ganz am entgegengesetzten Ende an, als wohin sie zu kommen trachteten, und der Schild der Ehre ist im Umsehen eine Tafel der Schande. Sali und Vrenchen hatten aber noch die Ehre ihres Hauses gesehen in zarten Kinderjahren und erinnerten sich, wie wohlgepflegte Kinderchen sie gewesen und dass ihre Väter ausgesehen wie andere Männer, geachtet und sicher. Dann waren sie auf lange getrennt worden, und als sie sich wieder fanden, sahen sie in sich zugleich das verschwundene Glück des Hauses, und beider Neigung klammerte sich nur umso heftiger ineinander. Sie mochten so gern fröhlich und glücklich sein, aber nur auf einem guten Grund und Boden, und dieser schien ihnen unerreichbar, während ihr wallendes Blut am liebsten gleich zusammengeströmt wäre. »Nun ist es Nacht«, rief Vrenchen, »und wir sollen uns trennen!« »Ich soll nach Hause gehen und dich allein lassen?«, rief Sali, »nein, das kann ich nicht!« »Dann wird es Tag werden und nicht besser um uns stehen!«

»Ich will euch einen Rat geben, ihr närrischen Dinger!«, tönte eine schrille Stimme hinter ihnen, und der Geiger trat vor sie hin. »Da steht ihr«, sagte er, »wisst nicht wo hinaus

2 **gewissenfreien**: ohne Gewissensnöte, unbescholtenen | 8 **äufnen**: vermehren

und hättet euch gern. Ich rate euch, nehmt euch, wie ihr seid, und säumet nicht. Kommt mit mir und meinen guten Freunden in die Berge, da brauchet ihr keinen Pfarrer, kein Geld, keine Schriften, keine Ehre, kein Bett, nichts als euren guten Willen! Es ist gar nicht so übel bei uns, gesunde Luft und genug zu essen, wenn man tätig ist; die grünen Wälder sind unser Haus, wo wir uns lieb haben, wie es uns gefällt, und im Winter machen wir uns die wärmsten Schlupfwinkel oder kriechen den Bauern ins warme Heu. Also kurz entschlossen, haltet gleich hier Hochzeit und kommt mit uns, dann seid ihr aller Sorgen los und habt euch für immer und ewiglich, solange es euch gefällt wenigstens; denn alt werdet ihr bei unserm freien Leben, das könnt ihr glauben! Denkt nicht etwa, dass ich euch nachtragen will, was eure Alten an mir getan! Nein! es macht mir zwar Vergnügen, euch da angekommen zu sehen, wo ihr seid; allein damit bin ich zufrieden und werde euch behilflich und dienstfertig sein, wenn ihr mir folgt.« Er sagte das wirklich in einem aufrichtigen und gemütlichen Tone. »Nun, besinnt euch ein bisschen, aber folget mir, wenn ich euch gut zum Rat bin! Lasst fahren die Welt und nehmet euch und fraget niemandem was nach! Denkt an das lustige Hochzeitbett im tiefen Wald oder auf einem Heustock, wenn es euch zu kalt ist!« Damit ging er ins Haus. Vrenchen zitterte in Salis Armen und dieser sagte: »Was meinst du dazu? Mich dünkt, es wäre nicht übel, die ganze Welt in den Wind zu schlagen und uns dafür zu lieben ohne Hindernis und Schranken!« Er sagte es aber mehr als einen verzweifelten Scherz denn im Ernst. Vrenchen aber erwiderte ganz treuherzig und küsste ihn: »Nein, dahin möchte ich nicht gehen, denn da geht es auch nicht nach meinem Sinne zu. Der junge Mensch mit dem Waldhorn und das Mädchen in dem seidenen Rock gehören auch so zueinander und sollen sehr verliebt gewesen sein. Nun sei letzte Woche die Person ihm zum ersten Mal untreu geworden, was ihm nicht in den Kopf wolle, und deshalb sei er so traurig und schmolle mit ihr und mit den andern, die ihn auslachen. Sie aber tut eine mutwillige Buße, indem sie

---

23 **Heustock:** Heuvorrat auf dem Heuboden, hier: Scheune

allein tanzt und mit niemandem spricht, und lacht ihn auch nur aus damit. Dem armen Musikanten sieht man es jedoch an, dass er sich noch heute mit ihr versöhnen wird. Wo es aber so hergeht, möchte ich nicht sein, denn nie möcht ich dir untreu werden, wenn ich auch sonst noch alles ertragen würde, um dich zu besitzen!« Indessen aber fieberte das arme Vrenchen immer heftiger an Salis Brust; denn schon seit dem Mittag, wo jene Wirtin es für eine Braut gehalten und es eine solche ohne Widerrede vorgestellt, lohte ihm das Brautwesen im Blute, und je hoffnungsloser es war, umso wilder und unbezwinglicher. Dem Sali erging es ebenso schlimm, da die Reden des Geigers, sowenig er ihnen folgen mochte, dennoch seinen Kopf verwirrten, und er sagte mit ratlos stockender Stimme: »Komm herein, wir müssen wenigstens noch was essen und trinken.« Sie gingen in die Gaststube, wo niemand mehr war als die kleine Gesellschaft der Heimatlosen, welche bereits um einen Tisch saß und eine spärliche Mahlzeit hielt. »Da kommt unser Hochzeitpaar!«, rief der Geiger, »jetzt seid lustig und fröhlich und lasst euch zusammengeben!« Sie wurden an den Tisch genötigt und flüchteten sich vor sich selbst an denselben hin; sie waren froh, nur für den Augenblick unter Leuten zu sein. Sali bestellte Wein und reichlichere Speisen, und es begann eine große Fröhlichkeit. Der Schmollende hatte sich mit der Untreuen versöhnt und das Paar liebkoste sich in begieriger Seligkeit; das andere wilde Paar sang und trank und ließ es ebenfalls nicht an Liebesbezeugungen fehlen, und der Geiger nebst dem buckligen Bassgeiger lärmten ins Blaue hinein. Sali und Vrenchen waren still und hielten sich umschlungen; auf einmal gebot der Geiger Stille und führte eine spaßhafte Zeremonie auf, welche eine Trauung vorstellen sollte. Sie mussten sich die Hände geben, und die Gesellschaft stand auf und trat der Reihe nach zu ihnen, um sie zu beglückwünschen und in ihrer Verbrüderung willkommen zu heißen. Sie ließen es geschehen, ohne ein Wort zu sagen, und betrachteten es als einen Spaß, während es sie doch kalt und heiß durchschauerte.

Die kleine Versammlung wurde jetzt immer lauter und aufgeregter, angefeuert durch den stärkern Wein, bis plötzlich der Geiger zum Aufbruch mahnte. »Wir haben weit«, rief er, »und Mitternacht ist vorüber! Auf! wir wollen dem Brautpaar das Geleit geben, und ich will vorausgeigen, dass es eine Art hat!« Da die ratlosen Verlassenen nichts Besseres wussten und überhaupt ganz verwirrt waren, ließen sie abermals geschehen, dass man sie voranstellte und die übrigen zwei Paare einen Zug hinter ihnen formierten, welchen der Bucklige abschloss mit seiner Bassgeige über der Schulter. Der Schwarze zog voraus und spielte auf seiner Geige wie besessen den Berg hinunter, und die andern lachten, sangen und sprangen hintendrein. So strich der tolle nächtliche Zug durch die stillen Felder und durch das Heimatdorf Salis und Vrenchens, dessen Bewohner längst schliefen.

Als sie durch die stillen Gassen kamen und an ihren verlorenen Vaterhäusern vorüber, ergriff sie eine schmerzhaft wilde Laune und sie tanzten mit den andern um die Wette hinter dem Geiger her, küssten sich, lachten und weinten. Sie tanzten auch den Hügel hinauf, über welchen der Geiger sie führte, wo die drei Äcker lagen, und oben strich der schwärzliche Kerl die Geige noch einmal so wild, sprang und hüpfte wie ein Gespenst, und seine Gefährten blieben nicht zurück in der Ausgelassenheit, sodass es ein wahrer Blocksberg war auf der stillen Höhe; selbst der Bucklige sprang keuchend mit seiner Last herum, und keines schien mehr das andere zu sehen. Sali fasste Vrenchen fester in den Arm und zwang es stillzustehen; denn er war zuerst zu sich gekommen. Er küsste es, damit es schweige, heftig auf den Mund, da es sich ganz vergessen hatte und laut sang. Es verstand ihn endlich, und sie standen still und lauschend, bis ihr tobendes Hochzeitgeleite das Feld entlanggerast war und, ohne sie zu vermissen, am Ufer des Stromes hinauf sich verzog. Die Geige, das Gelächter der Mädchen und die Jauchzer der Bursche tönten aber noch eine gute Zeit durch die Nacht, bis zuletzt alles verklang und still wurde.

5f. **dass es eine Art hat:** dass euch Hören und Sehen vergeht |
26 **Blocksberg:** mythischer Versammlungsort von Hexen in der Walpurgisnacht

»Diesen sind wir entflohen«, sagte Sali, »aber wie entfliehen wir uns selbst? Wie meiden wir uns?«

Vrenchen war nicht imstande zu antworten und lag hochaufatmend an seinem Halse. »Soll ich dich nicht lieber ins Dorf zurückbringen und Leute wecken, dass sie dich aufnehmen? Morgen kannst du ja dann deines Weges ziehen, und gewiss wird es dir wohlgehen, du kommst überall fort!«

»Fortkommen, ohne dich!«

»Du musst mich vergessen!«

»Das werde ich nie! Könntest denn du es tun?«

»Darauf kommt's nicht an, mein Herz!«, sagte Sali und streichelte ihm die heißen Wangen, je nachdem es sie leidenschaftlich an seiner Brust herumwarf, »es handelt sich jetzt nur um dich; du bist noch so ganz jung, und es kann dir noch auf allen Wegen gut gehen!«

»Und dir nicht auch, du alter Mann?«

»Komm!«, sagte Sali und zog es fort. Aber sie gingen nur einige Schritte und standen wieder still, um sich bequemer zu umschlingen und zu herzen. Die Stille der Welt sang und musizierte ihnen durch die Seelen, man hörte nur den Fluss unten sacht und lieblich rauschen im langsamen Ziehen.

»Wie schön ist es da ringsherum! Hörst du nicht etwas tönen, wie ein schöner Gesang oder ein Geläute?«

»Es ist das Wasser, das rauscht! Sonst ist alles still.«

»Nein, es ist noch etwas anderes, hier, dorthinaus, überall tönt's!«

»Ich glaube, wir hören unser eigenes Blut in unsern Ohren rauschen!«

Sie horchten ein Weilchen auf diese eingebildeten oder wirklichen Töne, welche von der großen Stille herrührten oder welche sie mit den magischen Wirkungen des Mondlichtes verwechselten, welches nah und fern über die weißen Herbstnebel wallte, welche tief auf den Gründen lagen. Plötzlich fiel Vrenchen etwas ein; es suchte in seinem Brustgewand und sagte: »Ich habe dir noch ein Andenken gekauft, das ich dir geben wollte!« Und es gab ihm den einfachen Ring und steckte ihm denselben selbst an den Finger. Sali nahm sein Ringlein auch hervor und steckte ihn an Vrenchens Hand, indem er sagte: »So haben wir die gleichen Gedanken gehabt!« Vrenchen hielt seine Hand in das bleiche Silberlicht und betrachtete den Ring. »Ei, wie ein feiner Ring!«, sagte es lachend; »nun sind wir aber doch verlobt und versprochen, du bist mein Mann und ich deine Frau, wir wollen es einmal einen Augenblick lang denken, nur bis jener Nebelstreif am Mond vorüber ist oder bis wir zwölf gezählt haben! Küsse mich zwölfmal!«

Sali liebte gewiss ebenso stark als Vrenchen, aber die Heiratsfrage war in ihm doch nicht so leidenschaftlich lebendig als ein bestimmtes Entweder-oder, als ein unmittelbares Sein oder Nichtsein, wie in Vrenchen, welches nur das eine zu fühlen fähig war und mit leidenschaftlicher Entschiedenheit unmittelbar Tod oder Leben darin sah. Aber jetzt ging ihm endlich ein Licht auf und das weibliche Gefühl des jungen Mädchens ward in ihm auf der Stelle zu einem wilden und heißen Verlangen und eine glühende Klarheit erhellte ihm die Sinne. So heftig er Vrenchen schon umarmt und liebkost hatte, tat er es jetzt doch ganz anders und stürmischer und übersäete es mit Küssen. Vrenchen fühlte trotz aller eigenen Leidenschaft auf der Stelle diesen Wechsel und ein heftiges Zittern durchfuhr sein ganzes Wesen, aber ehe jener Nebelstreif am Monde vorüber war, war es auch davon ergriffen. Im heftigen Schmeicheln und Ringen begegneten sich ihre ringgeschmückten Hände und fassten sich fest, wie von selbst eine Trauung vollziehend, ohne den Befehl eines Willens. Salis Herz klopfte bald wie mit Hämmern, bald stand es still, er atmete schwer und sagte leise: »Es gibt eines für uns, Vrenchen, wir halten Hochzeit zu dieser Stunde und gehen dann aus der Welt – dort ist das tiefe Wasser – dort scheidet uns niemand mehr und wir sind zusammen gewesen – ob kurz oder lang, das kann uns dann gleich sein. –«

Vrenchen sagte sogleich: »Sali – was du da sagst, habe ich schon lang bei mir gedacht und ausgemacht, nämlich dass wir sterben könnten und dann alles vorbei wäre – so schwör mir es, dass du es mit mir tun willst!«

»Es ist schon so gut wie getan, es nimmt dich niemand mehr aus meiner Hand als der Tod!«, rief Sali außer sich. Vrenchen aber atmete hoch auf, Tränen der Freude entströmten seinen Augen; es raffte sich auf und sprang leicht wie ein Vogel über das Feld gegen den Fluss hinunter. Sali eilte ihm nach; denn er glaubte, es wolle ihm entfliehen, und Vrenchen glaubte, er wolle es zurückhalten. So sprangen sie einander nach, und Vrenchen lachte wie ein Kind, welches sich nicht will fangen lassen. »Bereust du es schon?«, rief eines zum andern, als sie am Flusse angekommen waren und sich ergriffen; »nein! es freut mich immer mehr!«, erwiderte ein jedes. Aller Sorgen ledig gingen sie am Ufer hinunter und überholten die eilenden Wasser, so hastig suchten sie eine Stätte, um sich niederzulassen; denn ihre Leidenschaft sah jetzt nur den Rausch der Seligkeit, der in ihrer Vereinigung lag, und der ganze Wert und Inhalt des übrigen Lebens drängte sich in diesem zusammen; was danach kam, Tod und Untergang, war ihnen ein Hauch, ein Nichts, und sie dachten weniger daran als ein Leichtsinniger denkt, wie er den andern Tag leben will, wenn er seine letzte Habe verzehrt.

»Meine Blumen gehen mir voraus«, rief Vrenchen, »sieh, sie sind ganz dahin und verwelkt!« Es nahm sie von der Brust, warf sie ins Wasser und sang laut dazu: »Doch süßer als ein Mandelkern ist meine Lieb zu dir!«

»Halt!«, rief Sali, »hier ist dein Brautbett!«

Sie waren an einen Fahrweg gekommen, der vom Dorfe her an den Fluss führte, und hier war eine Landungsstelle, wo ein großes Schiff, hoch mit Heu beladen, angebunden lag. In wilder Laune begann er unverweilt die starken Seile loszubinden. Vrenchen fiel ihm lachend in den Arm und rief: »Was willst du tun? Wollen wir den Bauern ihr Heuschiff stehlen zu guter Letzt?« »Das soll die Aussteuer sein, die sie uns geben, eine schwimmende Bettstelle und ein Bett, wie noch keine Braut gehabt! Sie werden überdies ihr

Eigentum unten wieder finden, wo es ja doch hin soll, und werden nicht wissen, was damit geschehen ist. Sieh, schon schwankt es und will hinaus!«

Das Schiff lag einige Schritte vom Ufer entfernt im tiefern Wasser. Sali hob Vrenchen mit seinen Armen hoch empor und schritt durch das Wasser gegen das Schiff; aber es liebkoste ihn so heftig ungebärdig und zappelte wie ein Fisch, dass er im ziehenden Wasser keinen Stand halten konnte. Es strebte Gesicht und Hände ins Wasser zu tauchen und rief: »Ich will auch das kühle Wasser versuchen! Weißt du noch, wie kalt und nass unsere Hände waren, als wir sie uns zum ersten Mal gaben? Fische fingen wir damals, jetzt werden wir selber Fische sein und zwei schöne große!« »Sei ruhig, du lieber Teufel!«, sagte Sali, der Mühe hatte, zwischen dem tobenden Liebchen und den Wellen sich aufrecht zu halten, »es zieht mich sonst fort!« Er hob seine Last in das Schiff und schwang sich nach; er hob sie auf die hochgebettete weiche und duftende Ladung und schwang sich auch hinauf, und als sie oben saßen, trieb das Schiff allmählich in die Mitte des Stromes hinaus und schwamm dann, sich langsam drehend, zu Tal.

Der Fluss zog bald durch hohe dunkle Wälder, die ihn überschatteten, bald durch offenes Land; bald an stillen Dörfern vorbei, bald an einzelnen Hütten; hier geriet er in eine Stille, dass er einem ruhigen See glich und das Schiff beinah stillhielt, dort strömte er um Felsen und ließ die schlafenden Ufer schnell hinter sich; und als die Morgenröte aufstieg, tauchte zugleich eine Stadt mit ihren Türmen aus dem silbergrauen Strome. Der untergehende Mond, rot wie Gold, legte eine glänzende Bahn den Strom hinauf und auf dieser kam das Schiff langsam überquer gefahren. Als es sich der Stadt näherte, glitten im Froste des Herbstmorgens zwei bleiche Gestalten, die sich fest umwanden, von der dunklen Masse herunter in die kalten Fluten.

Das Schiff legte sich eine Weile nachher unbeschädigt an eine Brücke und blieb da stehen. Als man später unterhalb der Stadt die Leichen fand und ihre Herkunft ausgemittelt

---

31 **überquer:** quer zur Fahrtrichtung

hatte, war in den Zeitungen zu lesen, zwei junge Leute, die Kinder zweier blutarmen zugrunde gegangenen Familien, welche in unversöhnlicher Feindschaft lebten, hätten im Wasser den Tod gesucht, nachdem sie einen ganzen Nachmittag herzlich miteinander getanzt und sich belustigt auf einer Kirchweih. Es sei dies Ereignis vermutlich in Verbindung zu bringen mit einem Heuschiff aus jener Gegend, welches ohne Schiffleute in der Stadt gelandet sei, und man nehme an, die jungen Leute haben das Schiff entwendet, um darauf ihre verzweifelte und gottverlassene Hochzeit zu halten, abermals ein Zeichen von der um sich greifenden Entsittlichung und Verwilderung der Leidenschaften.

Anhang

Der Text der vorliegenden Ausgabe ist seiten- und zeilengleich mit
der Ausgabe der Universal-Bibliothek Nr. 6172; er folgt der Edition:

Gottfried Keller: Sämtliche Werke. Historisch-kritische Ausgabe.
Herausgegeben von Jonas Fränkel. Siebenter Band: Die Leute von
Seldwyla. Erster Band. Erlenbach bei Zürich: E. Rentsch, 1927.

Orthographie und Interpunktion wurden auf der Grundlage der
gültigen amtlichen Rechtschreibregeln behutsam modernisiert; der
originale Lautstand und grammatische Eigenheiten blieben gewahrt.

2. Anmerkungen

3,2 f. **wenn sie nicht auf einem wirklichen Vorfall beruhte:**
Gottfried Keller (1819–1890) ließ sich bei der Ausarbeitung der
Erzählung *Romeo und Julia auf dem Dorfe* (1856) durch folgende
Zeitungsmeldung in der *Züricher Freitagszeitung* vom 3. September 1847 anregen: »Im Dorfe Altsellerhausen, bei Leipzig, liebten
sich ein Jüngling von 19 Jahren und ein Mädchen von 17 Jahren,
beide Kinder armer Leute, die aber in einer tödlichen Feindschaft
lebten und nicht in eine Vereinigung des Paares willigen wollten.
Am 15. August begaben sich die Verliebten in eine Wirtschaft, wo
sich arme Leute vergnügen, tanzten daselbst bis nachts 1 Uhr und
entfernten sich hierauf. Am Morgen fand man die Leichen beider
Liebenden auf dem Felde liegen; sie hatten sich durch den Kopf
geschossen.«

3,9 **Seldwyl:** Unter dem Sammeltitel *Die Leute von Seldwyla* veröffentlichte Gottfried Keller erstmals im Jahre 1856 und schließlich
in den Jahren 1873–74 eine Reihe von zuletzt insgesamt zehn Novellen, unter ihnen – neben *Romeo und Julia auf dem Dorfe* –
Erzählungen wie *Kleider machen Leute, Die drei gerechten Kammmacher* und *Spiegel, das Kätzchen*. Sie gelten als repräsentativ für
den sogenannten Poetischen Realismus, der in der zweiten Hälfte
des 19. Jahrhunderts eine maßgebliche literarische Ausdrucksform für eine gemäßigte gesellschaftskritische Darstellung der
Wirklichkeit war. Äußeres Bindeglied der Novellen ist die fiktive
schweizerische Kleinstadt Seldwyla als zentraler Ort der Handlung. Ihr Name ist eine Kombination aus dem mittelhochdeutschen Wort *saelde* (›Wonne‹, ›Glück‹) und der alemannischen
Ortsbezeichnung *Wyl* (›Weiler‹, kleine dörfliche Gemeinde mit
einer geringen Zahl von Gebäuden).

In der Einleitung zu seinem Werk beschreibt der Autor die Stadt
und ihre Bewohner in folgender Weise: »Seldwyla bedeutet nach
der älteren Sprache einen wonnigen und sonnigen Ort, und so ist
auch in der Tat die kleine Stadt dieses Namens gelegen irgendwo
in der Schweiz. Sie steckt noch in den gleichen alten Ringmauern
und Türmen wie vor dreihundert Jahren und ist also immer das
gleiche Nest; die ursprüngliche tiefe Absicht dieser Anlage wird
durch den Umstand erhärtet, daß die Gründer der Stadt dieselbe
eine gute halbe Stunde von einem schiffbaren Flusse angepflanzt,
zum deutlichen Zeichen, daß nichts daraus werden solle. Aber

schön ist sie gelegen, mitten in grünen Bergen, die nach der Mittagseite zu offen sind, so daß wohl die Sonne herein kann, aber kein rauhes Lüftchen. Deswegen gedeiht auch ein ziemlich guter Wein rings um die alte Stadtmauer, während höher hinauf an den Bergen unabsehbare Waldungen sich hinziehen, welche das Vermögen der Stadt ausmachen; denn dies ist das Wahrzeichen und sonderbare Schicksal derselben, daß die Gemeinde reich ist und die Bürgerschaft arm, und zwar so, daß kein Mensch zu Seldwyla etwas hat und niemand weiß, wovon sie seit Jahrhunderten eigentlich leben.« (Zit. nach: Gottfried Keller, *Die Leute von Seldwyla*, Stuttgart: Reclam, 1993 [u. ö.], S. 7.) Vgl. hierzu auch Kap. 3.5 (S. 95).

5,35 **Bezirksrat:** politische Einrichtung mit beratender, gesetzgebender und richtender Funktion innerhalb eines kleineren Gebietes in der Schweiz vor 1874.

11,10 f. **»was er webt, das weiß kein Weber!«:** Zitat aus dem Gedicht »Jehuda ben Halevy« aus der Gedichtsammlung *Romanzero* (1851) von Heinrich Heine (1797–1856). Der lyrische Text berichtet vom Leben des spanisch-jüdischen Philosophen und Dichters (1075–1141). Der hier zitierte Vers stammt aus zwei Strophen, in denen die Vergänglichkeit und Vergeblichkeit des Lebens im Bild der automatenhaft rotierenden Maschine dargestellt ist:

Jahre kommen und vergehen –
In dem Webstuhl läuft geschäftig
Schnurrend hin und her die Spule
Was er webt, das weiß kein Weber.

Jahre kommen und vergehen,
Menschentränen träufeln, rinnen
Auf die Erde, und die Erde
Saugt sie ein mit stiller Gier –

11,25 **Sali:** Kurzform zu dem hebräischen Namen Salomon, welcher ›der Friedliche‹ bedeutet. Das Alte Testament berichtet im ersten Buch der Könige und im zweiten Buch der Chronik von herausragenden politischen und kulturellen Leistungen des Königs Salomo, der als Sohn des Königs David im 10. vorchristlichen Jahrhundert über Israel herrschte. Nach biblischer Darstellung war er der Erbauer des ersten jüdischen Tempels in Jerusalem sowie der

Verfasser des Hoheliedes. Das Hohelied besingt in auch vielfach erotischen Bildern die Beziehung zwischen zwei Liebenden. Die Frau dort erscheint mit ihrer braunen Hautfarbe und ihrer Sinnlichkeit als biblisches Vorbild für »das braune Vrenchen« (11,26 f.), das als »feuriges Dirnchen« (11,27) dargestellt wird. Die Exotik und Erotik des Mädchens werden durch Hinweise auf das »dunkle Kind« (18,33) mit seinen »dunkelbraunen Haare[n]«, seinen »blitzenden braunen Augen«, seinem »dunkelrote[n] Blut« und seinem »bräunlichen Gesicht« (18,28–31) hervorgehoben.

11,27 **Vrenchen:** verniedlichende Form der Namen Verena (›die Scheue‹) oder Veronika (›die Siegbringende‹).

32,11 f. **himmlisches Jerusalem … mit zwölf glänzenden Pforten:** Im Neuen Testament entwirft die sogenannte Offenbarung des Johannes in einer prophetischen Vision von der Zeit nach dem Ende der Welt (Apokalypse) ein Bild vom Aussehen der neuen Stadt Jerusalem: »Die Stadt hat eine große und hohe Mauer mit zwölf Toren und zwölf Engeln darauf. Auf die Tore sind Namen geschrieben: die Namen der zwölf Stämme Israels« (Offb. 21,12).

3.1 Der Schlussteil der Novelle

Zu Gottfried Kellers *Romeo und Julia auf dem Dorfe* existieren drei
verschiedene Versionen des Erzählschlusses: In der Fassung der
Erstveröffentlichung (1856) besteht der Schluss aus den Absätzen [1]
bis [4] (siehe unten); der Abdruck der Novelle von 1871 endete nach
Absatz [1], während der Schluss der bis heute gültigen Textfassung
in der Ausgabe von 1874 aus den Absätzen [1] und [2] besteht. An die
hier abgedruckten Absätze [1] bis [4] schließt sich eine Analyse von
Peter Stocker an, die die drei Schlussvarianten und ihre Wirkung
umreißt.

»[1] Der Fluss zog [...] glitten zwei bleiche Gestalten in die kalten
Fluten.
[2] Das Schiff legte sich [...] abermals ein Zeichen von der um sich
greifenden Entsittlichung und Verwilderung der Leidenschaften.
[3] Was die Sittlichkeit betrifft, so bezweckt diese Erzählung keineswegs, die Tat zu beschönigen und zu verherrlichen; denn höher als
diese verzweifelte Hingebung wäre jedenfalls ein entsagendes Zu-
sammenraffen und ein stilles Leben voll treuer Mühe und Arbeit
gewesen, und da diese die mächtigsten Zauberer sind in Verbindung
mit der Zeit, so hätten sie vielleicht noch alles möglich gemacht;
denn sie verändern mit ihrem unmerklichen Einflusse die Dinge,
vernichten die Vorurteile, stellen die Ehre her und erneuen das Gewissen, so dass die wahre Treue nie ohne Hoffnung ist.
[4] Was aber die Verwilderung der Leidenschaften angeht, so betrachten wir diesen und ähnliche Vorfälle, welche alle Tage im nie-
deren Volke vorkommen, nur als ein weiteres Zeugniss, dass dieses
allein es ist, welches die Flamme der kräftigen Empfindung und
Leidenschaft nährt und wenigstens die Fähigkeit des Sterbens für
eine Herzenssache aufbewahrt, dass sie zum Troste der Roman-
zendichter nicht aus der Welt verschwindet. Das gleichgültige Ein-
gehen und Lösen von ›Verhältnissen‹ unter den gebildeten Ständen
von heute, das selbstsüchtige frivole Spiel mit denselben, die große
Leichtigkeit, mit welcher heutzutage junge Leutchen zu trennen
und auseinanderzubringen sind, wenn ihre Neigung irgend außer
der Berechnung liegt, sind zehnmal widerwärtiger, als jene Un-

glücksfälle, welche jetzt die Protokolle der Polizeibehörden füllen und ehedem die Schreibtafeln der Balladensänger füllten. Wir sehen alle Tage etwa einen wohlgekleideten Herrn, der seine Frau oder Braut mitten auf der Straße plötzlich stehen lässt und auf die Seite springt, weil irgend einem Schlächter eine alte Kuh entsprungen ist und bedrohlich dahergerannt kommt. Höchstens aus der Ferne, hinter einer Haustür hervor, schwingt er sein Stöckchen und macht: Bscht! Bscht! Solche Leute werden sich allerdings nicht aus Eigensinn und Leidenschaft ums Leben bringen, wenn man sie trennen will. Ebensowenig diejenigen, welche in allen Zeitungen ihre ›stattgefundene‹ Verlobung anzeigen und vierzehn Tage darauf einen Inseratenkrieg führen, wo jeder Part sich rühmt und behauptet, das ›Verhältniss‹ zuerst abgebrochen zu haben.

Absatz 1 (vgl. S. 79) erzählt den Doppelselbstmord, in einem einzigen kurzen, fast brutal objektiv wirkenden Satz. Dass nur noch unpersönlich von ›zwei bleichen Gestalten‹ die Rede ist, als hätte der Erzähler von den Figuren bereits Abschied genommen, verstärkt die Objektivierungstendenz. Endet die Erzählung an dieser Stelle, ergibt sich, filmisch gesprochen, durch den harten ›Schlussschnitt‹ eine starke Affektwirkung, vorbereitet durch das vorangehende ›Aufzoomen‹ (vom Heuschiff auf eine ganze Landschaft inklusive Stadtkulisse in Vogelschau), die pathetische Naturbeschreibung (untergehender Mond, aufsteigende Morgenröte) und Kontrasteffekte (hell/dunkel, warmes Licht / kalte Fluten). Es scheint, als ob hier eine einfache Liebesgeschichte zu einem sentimentalen Abschluss gebracht werden sollte.

Absatz 2 (vgl. S. 79 f.) referiert einen Zeitungsartikel. Der Erzähler tritt hinter das ›fremde Wort‹ der öffentlichen und veröffentlichten Meinung zurück, die sich für den verallgemeinerbaren Fall (›zwei junge Leute […] abermals‹) und seine ›sittliche‹ Bedeutung interessiert. Das muss natürlich, im vernichtenden Urteil von der ›Verwilderung der Leidenschaften‹, zu einer totalen Zerstörung des Sentimentalen führen. Was sich hier also klar abzeichnet, ist – statt eines eindeutigen Interpretationsangebotes – die multiperspektivische Relativierung jedes festen Standpunktes. Diese Relativierung betrifft den moralischen Standpunkt genauso wie den sentimentalen.

Absatz 3 treibt die Ironisierung auf die Spitze. Erst jetzt in einen eigentlichen Kommentar überleitend, macht der Erzähler sich nun scheinbar den Standpunkt der Seldwyler Zeitungsleser zu eigen und gibt vor, eine verbindliche Meinung äußern zu wollen. Dieser Kommentar stimmt in der Verurteilung des Selbstmordes mit der öffentlichen Meinung überein.

Absatz 4 nimmt, wie zu erwarten war, diese Denunziation der Figuren zurück, und zwar mit einem Plädoyer für das ›niedere Volk‹ und für ein leidenschaftliches Leben. Gleichzeitig wird zum Schlag gegen die zeitungslesenden und ›sittlich‹ urteilenden ›gebildeten Stände‹ ausgeholt.«

Peter Stocker: *Romeo und Julia auf dem Dorfe*. Novellistische Erzählkunst des Poetischen Realismus. In: Interpretationen. Gottfried Keller: Romane und Erzählungen. Hrsg. von Walter Morgenthaler. Stuttgart: Reclam, 2007. S. 57–77. [Auszug S. 66–68.]

3.2 Manz und Marti – Sali und Vrenchen

Thomas Koebner analysiert die »Geschichte der Väter« (S. 213) als den Konflikt zweier »tragikomischer Narren« (S. 215). Ihrem fehlenden Realismus und ihrer Glückssucht (vgl. ebd.) stellt der Verfasser jedoch die »Geschichte der Liebenden« nicht als eine positive Alternative entgegen; vielmehr erkennt er in dem Denken und Verhalten der Kinder auch eine negative Fortsetzung der Familiengeschichte.

»Keller verfolgt zwei Handlungsstränge in seiner Erzählung: die Verfallsgeschichte der Väter, die sich und ihre Familie ruinieren; die vergleichsweise kurze, wenn auch breiter dargestellte Liebesgeschichte der beiden Kinder, die in langsam gesteigerter Sinnlichkeit, Ratlosigkeit und Not keinen anderen Ausweg als das Sterben sehen. Es ist nicht die Feindschaft der Väter, die das Liebesglück der Kinder verhindert – wenn sie auch für neun Jahre die Wiederbegegnung der beiden jungen Menschen verhindert. Es ist das von den Vätern erzeugte materielle und moralische Elend, das den Kindern eine Aussicht in eine gemeinsame Zukunft verrennt – und die Erinnerung an die verlorene, scheinbar heile Welt ihrer Kinderzeit.

Zur Geschichte der Väter: Was um Himmels willen treibt die Bauern in den selbstzerstörerischen Wahn hinein, jeder von ihnen sei angeblich der Übervorteilte? – Der verschiedentlich in der Forschung unternommene Versuch (besonders in den siebziger Jahren unseres Jahrhunderts, die vom soziologischen Verständnis besondere Aufschlüsse erwarteten), die reale Situation von Manz und Marti mit den ökonomischen Verhältnissen der Zeit in Einklang zu bringen, stellt eine plausible Annäherung dar.* Es handelt sich aber nicht nur um einen Streit, der dem Eigentum gilt. Der Streitwert verringert sich beträchtlich, am Ende wird nur noch um ein kleines Dreieck des Ackers gekämpft. Wesentlicher als der wirtschaftliche ist der psychologische Konflikt. Manz zum Beispiel entwickelt ein peinliches Gefühl für Symmetrie – um, das wird angedeutet, sein Schuldgefühl durch Begradigungen zu verdecken. Er fürchtet, so äußert er, das Gespött der Leute. Tatsächlich aber wird er erst als Prozeßhansel wie sein Gegenspieler Marti zur lächerlichen und verhöhnten Person. Der nicht zu hemmende Trieb beider Bauern, sich dadurch zu ruinieren, daß sie auf ihrem Rechtsstandpunkt beharren, erinnert in manchem an Michael Kohlhaas, die Figur aus Heinrich von Kleists Erzählung. Nicht allein die Profitgier verdirbt die Bauern, sondern ebenso ihr falsches Selbstgefühl, ihre ›Ehre‹, ihre Unfähigkeit, den Standpunkt des anderen in Gedanken wenigstens einzunehmen, ihre unversöhnliche Hartnäckigkeit und vor allem ihre Bereitschaft, die Ursache für das Unglück nur beim Gegner zu suchen. Sie selbst halten sich, jedenfalls ist ihnen anderes nicht bewußt, für schuldlos. So wird der andere zum eigentlichen Übeltäter, der das ganze Elend zu verantworten habe, das einen selbst überwältigt. Manz und Marti sind Narren der Uneinsichtigkeit, völlig außerstande, Distanz zu sich selber einzunehmen, Prinzipienreiter, verbohrt in die Auffassung, nur ihnen sei Unrecht widerfahren, nur sie selbst seien gekränkt worden. Sie sind im übertragenen Sinne Blinde, die ihre gemeinsamen Interessen oder ihr gemeinsames Unglück nicht wahrnehmen und so einen erbärmlichen und fruchtlosen Zweikampf austragen, bei dem sie sich nur selber schädigen. Weil Keller die Entwicklung ihres selbsterzeugten moralischen und ökonomischen Zusammenbruchs eben nicht als Zeugnis für den zeitgenössischen Pauperismus, die unverschuldete Verarmung von Menschen in der sich industrialisierenden Gesellschaft begreift, wählt er konsequent Bilder für diesen Vorgang, die den Ruin in

---

* Vgl. Gert Sautermeister, »Gottfried Keller – Kritik und Apologie des Privateigentums. Möglichkeiten und Schranken liberaler Intelligenz«, in: *Positionen literarischer Intelligenz zwischen bürgerlicher Reaktion und Imperialismus*, hrsg. von Gert Mattenklott und Klaus Scherpe, Kronberg i. Ts. 1973, S. 39–102.

skurril-beängstigende Unterwelt-Szenen übersetzen (als schreibe er die Visionenkette Dantes in dessen *Divina commedia* fort): ›[...] ihr
Leben glich fortan der träumerischen Qual zweier Verdammten,
welche, auf einem schmalen Brette einen dunklen Strom hinabtreibend, sich befehden, in die Luft hauen und sich selber anpacken und
vernichten, in der Meinung, sie hätten ihr Unglück gefasst‹ (S. 16).

Die Angst des Manz, die anderen könnten sich über ihn belusti-
gen, er würde beispielsweise wegen seiner Nachgiebigkeit einen
Spitznamen erhalten, seine kuriose Sorge um gerade Linien und pe-
nible Symmetrie, diese scheinbare Überkorrektheit weist ihn als au-
ßengeleiteten und zugleich schuldverdrängenden Menschen aus, als
mürrisch-hochfahrenden Mann, der von Ideen des endgültigen tri-
umphalen Sieges bezaubert ist, ohne zu merken, daß er dabei unablässig an Substanz verliert. Nicht von ungefähr werden beide Bauern
in der Phase ihres Niedergangs zu Lotteriespielern. Der Traum vom
unverhofften (auch unverdienten) Zugewinn verdrängt die letzten
Reste realer Lebenstüchtigkeit. Es sind unrealistische Menschen,
Glücksjäger und dadurch tragikomische Narren.

Zur Geschichte der Liebenden: Kellers Anatomie fortzeugender
Verderbnis und Schuld sperrt sich dagegen, die folgende Generation
in den Stand der Unschuld zurückzuversetzen. Der Erzähler entläßt
die Kinder dieser Väter (von den Müttern ist weniger die Rede, allenfalls von der aufgeblasenen Mutter des Sali) nicht aus der Familiengeschichte, auch an ihnen wird der Zerfall des Hauses sichtbar.«

Thomas Koebner: Gottfried Keller: *Romeo und Julia auf dem Dorfe*.
Die Recherche nach den Ursachen eines Liebestods. In: Interpretationen.
Erzählungen und Novellen des 19. Jahrhunderts. Bd. 2. Stuttgart: Reclam,
1990. S. 203–234. [Auszug S. 212–215.]

Anders als Thomas Koebner erkennt Gert Sautermeister in seiner
Deutung der Liebe zwischen den beiden Heranwachsenden eine
gleichsam heldenhafte Überwindung der bürgerlichen Welt:

»[...] Vom ersten Augenblick an, da Romeo und Julia, er zwanzig, sie
achtzehn Jahre zählend, sich wiedersehen, hat Keller aus der Idee
der Ehe das Schicksal der Liebenden entfaltet. Das Eingedenken des
entschwundenen Glücks der Eltern verwandelt sich ihnen, den Verarmten, Verstoßenen, in das Traumbild eines dauerhaften bürgerlichen Lebens zu zweit. Und je gebieterischer dieses Traumbild an sie
heranrückt, um so stärker schlägt die Leidenschaft über ihnen zu-

sammen. Im Schutze einer Idee, die zwei Menschen füreinander bestimmt und einen zum ›Eigentümer‹ des anderen macht, erwacht erst deren ganzer Eros. Wie Sali zum erstenmal das Mädchen seine künftige Frau nennt, dann Vrenchen phantasievoll vor einer älteren Freundin eine Ehe mit Sali vorspielt, eine Wirtin die beiden auf ihrem Gang durch das Land als Brautleute willkommen heißt, wie schließlich der schwarze Geiger ihnen symbolisch zur Hochzeit aufspielt: Das sind die vom Erzähler unauffällig in den Gang der Handlung eingetragenen Stufen, auf denen sich seine beiden Personen zusehends, ihre Scheu vergessend, in ihre Passion und ihre Vereinsamung verirren. [...] Von da führt nur der Weg in den Tod. Denn die physische Vereinigung – unabweisbar geworden mit der Idee bürgerlicher Glückserfüllung – ist denen, die in der bürgerlichen Welt kein Lebensrecht haben, nur im Zeichen des Abschieds von der Welt gestattet. Von einem Schiff, auf dem sie in später Nacht Hochzeit halten, gleiten ihre Körper frühmorgens in die eiskalten Fluten.

Im dialektisch verklammerten Schicksal der Väter und der Kinder hat Keller kritisch Lebensbedingungen der bürgerlichen Gesellschaft entworfen. Drehen sich die Väter wie besessen in dem Kreis, den ihnen ihr ökonomisches Privatinteresse vorzeichnet, so treten die Kinder, die Schranken des Ichs durchbrechend, in den äußersten Gegensatz zu ihnen: in die rückhaltlose Selbstentäußerung. Weil ihre Väter ihnen den ›guten Grund und Boden‹ zur Ehe entzogen haben, werden sie fähig, ihr einziges Eigentum, Eros und Hingabe, uneingeschränkt füreinander zu entfalten, aber auch genötigt, die unabweisbare faszinierende Idee der Ehe, des dauerhaften Zueinandergehörens, wenigstens durch den Tod zu verwirklichen. Keller läßt durchblicken, wie Öffentlichkeit und gesellschaftliche Norm das Privateste und Intimste bedingen und durchdringen [...].«

Gert Sautermeister: Romeo und Julia auf dem Dorfe.
In: Kindlers Literatur-Lexikon. Bd. 6. München: Kindler, 1971.
Sp. 489 f. – © 1971 Kindler Verlag, München.

In seiner Untersuchung der Novelle *Romeo und Julia auf dem Dorfe* verweist Thomas Koebner unter anderem auch auf die Fülle »der biblischen und mythologischen Anspielungen« (S. 221). So erkennt er in dem schwarzen Geiger »an der Spitze des ausgelassenen Zuges, der über die nächtlichen Felder und Dörfer hinwegtollt«, die ambivalente Personifikation von Leben und Tod: Er erscheint einerseits als die Verkörperung eines »Dionysos, der den Bacchantenzug anführt« (S. 222). Als Bacchanten bezeichnete man in der griechischen und römischen Antike die Teilnehmer an kultischen Orgien zur Feier des Dionysos, des Gottes des Weines, der Lebenslust, der Fruchtbarkeit und der (sexuellen) Ekstase. Auf der anderen Seite erinnert der unheimliche Mann an das Motiv des zum Totentanz aufspielenden Musikanten.

Die Bild- und Zeichenhaftigkeit bei der Beschreibung des ›Paradiesgärtleins‹ analysiert Koebner wie folgt:

»Das Paradiesgärtlein wird vom Erzähler ausführlich als ein Landsitz im Verfall geschildert. Schon der Name assoziiert das Elysium, von dem die beiden Liebenden dort oben eine Art Abglanz erleben. Das Tanzfest findet in einer Loggia statt, an vier Ecken von Skulpturen getragen, die vier Erzengel vorstellen sollen. Doch sind die plastischen Verzierungen ebenso verwittert wie die Malereien verblaßt, auf denen ›lustige Engelscharen sowie singende und tanzende Heilige‹ zu sehen sind. (68) ›Aber alles war verwischt und undeutlich wie ein Traum und überdies reichlich mit Weinreben übersponnen [...].‹ (68) Der seltsame und verwilderte Ort wirkt wie ein romantischer Schauplatz vergangener Lustbarkeiten und Geheimnisse. Das Altern hat die dargestellten Mythen und Legenden nicht verschont. Singende und tanzende Heilige sind in der christlichen Ikonographie überdies recht selten. Vielleicht haben Sali und Vrenchen die Gestalten, die sie erblicken, in frommer Weise umgedeutet – sie können sich die Figuren nicht anders als Heilige erklären. Ob dies so ist, oder ob der Erzähler bei aller Detailgenauigkeit in der Beschreibung bewußt die eigentliche Bedeutung des bildnerischen Schmucks im unklaren lassen will, in jedem Fall zielt er auf eine Verschränkung von christlichen und heidnischen Elementen. Die Hinweise auf Dionysos, den Gott des Rausches, und sein ihm ergebenes Gefolge sind nicht zu übersehen. Weinreben überspinnen die Freskomalereien: der Wein als Zeichen dieses Gottes. Und die Porträts einzelner Personen aus dem ›Hudelvölkchen‹, welches nirgends zu Hause war‹ (69), betonen so auffällig die Farben der Leidenschaft und des Schmerzes, rot und schwarz, so unzweideutig Besonderheiten der traditionellen Darstellung von Bacchanalien (zum Beispiel hängt einem Mädchen an jeder Schläfe eine blaue Traube!), daß das ausgelassene Volk wie aus Bildern herausgetreten scheint, die das Treiben und den Trubel um Dionysos in typischer Weise verzeichnen. Da in solchen Bildern (wie etwa von Nicolas Poussin) natürlich mediterrane Elemente, auch in der Kostümierung der Personen, üblich sind, ›exotisiert‹ auch der Erzähler die Erscheinung der Tänzerinnen und Tänzer, durchsetzt sie zugleich mit einheimischen Motiven, vor allem aus der Flora, so daß die Figuren in ›ihrer zusammengewürfelten Tracht‹ ›fremdartig‹ aussehen (69). Das Prinzip des Erzählers, auf christliche, antike oder auch volkstümliche Überlieferungen anzuspielen und so die beschriebenen Phänomene in vielfältigem Licht erscheinen zu lassen, führt zu einer gegenseitigen Relativierung der angerissenen Bezüge zum Dionysos-Kult oder zum Blocksberg-Treiben. Im verschränkenden Gemenge entzaubern sich die unterschiedlichen Mythen zu recht profanen Materialien einer erzählerischen Prozedur, die massiert Hinweiszeichen auf den zunehmenden Gefühls- und Sinnestaumel der Liebenden ausstreut. Der Erzähler will die Ekstase nicht dämonisieren, nur – auf vorsichtige Umschreibung bedacht – mit Hilfe von Schlüsselbegriffen fassen, die verschiedenen Kulturen entstammen; er verwandelt die Rätselzeichen dunkler Zusammenhänge zu gewitzten Reflexen.«

Thomas Koebner: Gottfried Keller: Romeo und Julia auf dem Dorfe.
Die Recherche nach den Ursachen eines Liebestods. In: Interpretationen.
Erzählungen und Novellen des 19. Jahrhunderts. Bd. 2. Stuttgart: Reclam,
1990. S. 203–234. [Auszug S. 222–224.]

3.4 Zum Vergleich: William Shakespeares Romeo and Juliet

Im Jahre 1597 veröffentlichte William Shakespeare (1564–1616) die Tragödie Romeo and Juliet. Schon ihre Zusammenfassung im Prolog (hier in der Übersetzung von August Wilhelm Schlegel, 1843/44, die Keller sicherlich bekannt war) lädt den Leser von Gottfried Kellers Romeo und Julia auf dem Dorfe zu einem Vergleich der beiden

Varianten des Stoffes ein, der durch die genauere Kenntnis des eng-
lischen Dramas noch vertieft werden kann.

Prolog
Der Chor tritt auf.

CHOR.   Zwei Häuser in Verona, würdevoll,
Wohin als Szene unser Spiel euch bannt,
Erwecken neuen Streit aus altem Groll,
Und Bürgerblut befleckt die Bürgerhand.
Aus beider Feinde unheilvollem Schoß
Entspringt ein Liebespaar, unsternbedroht,
Und es begräbt – ein jämmerliches Los –
Der Väter lang gehegten Streit ihr Tod.
Wie diese Liebe nun dem Tod verfiel,
Der Eltern Wüten, immerfort erneut,
Erst in der Kinder Ende fand sein Ziel,
Das lehrt zwei Stunden euch die Bühne heut;
Wollt ihr geduldig euer Ohr dem leihn,
Woll'n wir's von Mängeln, wo's noch not, befrein.

William Shakespeare: Romeo und Julia. Übers. von August Wilhelm
Schlegel. Hrsg. von Dietrich Klose. Stuttgart: Reclam, 2002. S. 4.

3.5 Seldwyla – Sozio- und Psychogramm einer Kleinstadt und ihrer Einwohner

Romeo und Julia auf dem Dorfe erschien erstmals 1856 unter dem
Sammeltitel *Die Leute von Seldwyla* zusammen mit anderen Novellen Gottfried Kellers. Äußeres Bindeglied der Novellen ist die
fiktive schweizerische Kleinstadt Seldwyla als zentraler Ort der
Handlung.

Der bekannte Schweizer Schriftsteller und Literaturwissenschaft-
ler Adolf Muschg (geb. 1934) porträtiert in seiner Studie zu Gottfried
Kellers Person und Werk die Stadt Seldwyla und ihre Bewohner aus
einer sozialgeschichtlichen und psychologischen Perspektive:

»›Seldwyla‹ – kein literarischer Ort ist vom zitierenden Volksmund
gründlicher mißdeutet worden. In Festreden und Leitartikeln erscheint er so, als wäre er mit Schilda zu verwechseln, ein Pfahlbür-

gerstädtchen, das sich in seiner Borniertheit selbst die lustigsten Streiche spielt; am Ende auch ein Ort gemütlicher Selbstgratulation. Auf diese Weise rückt man ihn fernab von den Tatsachen, die die beiden Bände der Seldwyler Geschichten illustrieren und die das schweizerische Selbstverständnis genauer treffen könnten. Denn Seldwyla ist ein historisch wie psychologisch genau situierbarer Ort. Seine Bürger bewohnen eine ländliche Kleinstadt in der Mitte des 19. Jahrhunderts. Ihr Problem, mit dem sie nicht fertigwerden, ist das Übergreifen kapitalistischer Weltwirtschaft und ihrer Verwertungsformen auf den Marktflecken, der bisher vom ländlichen Tausch gelebt hatte. Sie müssen ihr Land und sich selbst zu Kapital machen, wenn sie überleben wollen: das gelingt ihnen nur ausnahmsweise. Das typische Wirtschaftsschicksal des Seldwylers ist der Abstieg vom Ackerbürger zum Landproletarier. Dazu gehört die Zwischenstufe des Wirteberufs, wo die ›Wirtschaft‹ gleichsam unverstellt zum Zuge kommt und, da unverstanden, bald zum Bankrott zwingt. Es ist diese Form der ›Liquidierung‹ – sie hat auch mit Alkohol zu tun –, die gewöhnlich am Ende der seldwylerischen Existenz steht. Auffällig, daß wirtschaftliche Tüchtigkeit, wenn sie sich doch einmal in Seldwyla zeigen sollte, von außen kommt (durch eine eingeheiratete Frau etwa), oder daß sie in der Fremde erworben werden muß (das Auswanderer-Motiv). Wo aber Seldwyla bei sich selbst ist, ist es die Heimat des ökonomischen Mißgeschicks.

Ebenso auffällig freilich, wie erfinderisch sich der Seldwyler gegen die Zumutungen der Tüchtigkeit zu sträuben und sie zu sabotieren weiß. Er tut alles, um sich den ›Forderungen des Tages‹ zu entziehen: er angelt, bummelt, spielt und trinkt und läßt allenfalls seine Frau für sich rackern. Zum gewinnbringenden Rechnen seiner bäuerlichen Herkunft nach wenig gerüstet, zu ›redlich‹ genannter Arbeit nicht willens, versucht er das doppelte Defizit durch Wirtschaftsmagie wettzumachen. Er spekuliert oder versucht in der Lotterie, was er sein Glück nennt, das ihm, als notorisch Untüchtigem, dann nicht oder nicht lange hold zu sein pflegt. Er ist ein Pechvogel von Haus aus; da er den Schaden nicht vermeiden kann, sucht er wenigstens dem Spott vorzubeugen, indem er ihn selbst praktiziert. Seldwyla ist der Inbegriff des halbwegs und fast immer zum eigenen Nachteil ›emanzipierten‹ Landvolks, das die Solidität des Bodens gegen die gefährliche Mobilität der Industriewirtschaft eintauschen soll. Keller kannte diese von Überschuldung und Deklassierung bedrohten Bauern und Kleinbürger aus den Nachbarstädtchen seiner Landheimat, Eglisau, Bülach, Regensberg, aber auch aus dem Hintersassenmilieu Zürichs. Es war seine eigene soziale Herkunft, die er hier im Lichte der Selbstironie und des Heimwehs zeichnete.«

Adolf Muschg: Gottfried Keller. München: Kindler, 1977. S. 181–183. – Mit Genehmigung von Adolf Muschg.

3.6 Der Gattungsbegriff der Novelle

Romeo und Julia auf dem Dorfe wird vom Autor als »Novelle« bezeichnet. Dies ist ein Gattungsbegriff, der eine lange literarische Tradition hat und mit mehr oder weniger spezifischen Textmerkmalen verbunden ist. Auch wenn die Kategorisierung einer Erzählung unter dem Begriff der Novelle für Leser als rein literaturwissenschaftlicher Formalismus und damit als zweitrangig erscheinen mag, so erschließen sich doch über gattungstypologische Aussagen wichtige Hinweise zur Deutung. In diesem Sinne dürften auch die folgenden Informationen über die Novelle als Gattung für die Analyse von *Romeo und Julia auf dem Dorfe* eine interessante Basis bilden:

»Dennoch lassen sich bestimmte Grundzüge des novellistischen Erzählens – ich bevorzuge diesen Ausdruck vor der allzu starren Gattungsbezeichnung ›Novelle‹ – hervorheben. Es handelt sich hier um Prosa-, in seltenen und meist früheren Fällen auch um Verserzählungen von geringerem Umfang, die ein bestimmtes, herausgehobenes, mehr oder weniger ungewöhnliches Ereignis berichten. ANDRÉ JOLLES definiert in seiner Einleitung (1921) zu Boccaccios ›Decameron‹: ›Unter einer Novelle verstehen wir die Darstellung einer Begebenheit oder eines Ereignisses von eindringlicher Bedeutung, die uns als wahr anmutet. Dieses Ereignis führt uns die Novelle in einer Form vor, in der es uns wichtiger erscheint als die Personen, die es erleben. Auf das Geschehene kommt es an; die Psychologie, die Charaktere der Handelnden und Leidenden interessieren uns nicht an und für sich, sondern nur insoweit das Geschehen durch sie bedingt ist. Dadurch unterscheidet sich die Novelle vom Roman. Goethes ,Werther' und Merimées ,Carmen' zeigen beide inhaltlich, wie ein Mann an seiner Liebe zugrunde geht; aber Goethes Roman schildert den Mann, Merimées Novelle das Zugrundegehen, der eine gibt einen Menschen und sein Schicksal, der andre das Schicksal und einen Menschen. [...] In dem Roman umgeben die Abenteuer das Bildnis des Helden, die Novelle hat keinen Helden; ihre Personen sind nur wichtig, insoweit sie die Begebenheiten verursachen, nur gut gezeichnet, insoweit uns durch sie das Ereignis den Eindruck des Wahrhaftigen macht. Das gleiche gilt für die Schilderung der Zustände und der Umgebung; auch sie kommen nur in Betracht, sofern sie uns die Ereignisse begreiflicher machen oder dazu beitragen, sie uns als wirklich erscheinen zu lassen.‹ [...]

Charakteristisch für die Novelle ist der grundsätzliche Vorrang des Ereignisses vor den Personen und den Dingen. Das hebt auch GOE-THES mehr beiläufige und keineswegs erschöpfende spätere Definition hervor: ›... denn was ist eine Novelle anders als eine sich ereignete unerhörte Begebenheit‹ (Gespräch mit Eckermann vom 29. Jan. 1827). Diese Definition trifft aber dennoch einen zentralen Punkt, und sie geht darin – sei es gewollt, sei es ungewollt – bis auf CERVANTES zurück. [...] Bei CERVANTES, aber auch bei BOCCAC-CIO, BANDELLO, MARGARETE VON NAVARRA und zahlreichen anderen ist Novelle immer wieder die Darstellung *eines* Ereignisses, dessen Pointe in einer so seltsamen und nicht voraussehbaren Wendung liegt, daß sie ›novella‹, das heißt ›neu‹, ›noch nie gehört‹ genannt werden kann. Wahrscheinlich hat auch Goethe das Adjektiv ›unerhört‹ mehr im ursprünglichen Sinne von *noch nicht gehört* gemeint und nicht, wie es die romantische Interpretation der Novelle in Deutschland nahelegt, im Sinne von ›außerordentlich‹, ›schaudervoll‹ oder gar ›märchenhaft wunderbar‹. [...]

Die Novelle bevorzugt im Gegensatz zum Roman den *Einzelfall*, der nicht deutend in einen Weltzusammenhang eingeordnet zu werden braucht. Novellen werden in erster Linie um ihrer selbst willen, um ihres überraschenden Wahrheits- und Wirklichkeitsgehaltes willen erzählt. Daher liebt die Novelle das Zufällige, die Launen des Schicksals, die Paradoxien der Erfahrung. Der *Zufall* als Regent in der Novelle kann in sehr verschiedener künstlerischer Funktion auftreten: einmal als beispielhaft für das Undurchschaubare und Unberechenbare der menschlichen Erfahrungswelt, dann aber auch wieder als sinnbildliches, ja metaphysisches Zeichen des Schicksals oder auch als Ausdruck eines ironischen Spiels des Erzählers mit dem Erzählten. ADALBERT STIFTER hebt in der Urfassung seiner Erzählung ›Der beschriebene Tännling‹ in den ›Studien‹

einmal einen ›jener Zufälle‹ hervor, ›die es lieben, die Dinge auf die Spitze zu stellen‹. Damit ist ein wesentliches Moment novellistischen Erzählens gesehen, nämlich die Verbindung von Zufall, Spannung und leitendem Spitzenmotiv, dem dann alle weiteren Nebenmotive untergeordnet werden müssen.«

Benno von Wiese: Novelle. Stuttgart: Metzler, ⁸1982. S. 4–9. – © 1982 J.B. Metzler'sche Verlagsbuchhandlung und Carl Ernst Poeschel Verlag GmbH in Stuttgart.

3.7 Der Epochenbegriff des Poetischen Realismus

Neben der textsortenspezifischen Zuordnung von *Romeo und Julia auf dem Dorfe* zur Gattung der Novelle gilt auch ihre literaturgeschichtliche Zuordnung zur Periode des Poetischen Realismus in der zweiten Hälfte des 19. Jahrhunderts als sicher. Wolfgang Preisendanz erläutert in der folgenden Darstellung, in welcher Weise im Werk von Gottfried Keller sowohl poetische als auch realistische Merkmale miteinander verknüpft sind. Wer die Analyse liest, wird auf verblüffende Übereinstimmungen mit den Ausführungen von Benno von Wiese zur Novelle (vgl. Kap. 3.6) treffen:

»Für Kellers so beschlagene wie erfindungsreiche, so bizarre wie reelle Phantasie gibt es kein Privates ohne den Einschlag des Öffentlichen, kein Seelisches ohne das Komplement des Gesellschaftlichen, kein Persönliches ohne das Gepräge des Zeitbedingten, kein Individuelles ohne die Brechungen der bürgerlichen, kulturellen und ökonomischen Verhältnisse. Wohl schreibt er einmal in bezug auf Gotthelf als Volksschriftsteller: ›Ewig sich gleich bleibt nur das, was rein menschlich ist, und dies zur Geltung zu bringen ist die wesentliche Aufgabe aller Poesie‹. Entscheidend ist aber, daß er dieses ewig identische Menschliche nicht jenseits der prosaischen wirklichen Wirklichkeit anzutreffen gedenkt, sondern mitten in ihr: als ›konkretes Menschentum‹, von dessen Verschränkung mit den gesellschaftlichen, politischen, ökonomischen und kulturellen Faktoren nicht abzusehen ist. Gerade in der Zeit seiner ersten Erzählwerke und -entwürfe spricht er immer wieder aus, es komme darauf an, das ewig sich gleichbleibende rein Menschliche im jeweils konkreten Menschentum zu erschließen und zu vergegenwärtigen [...]. Denn so wie das Neue in der Kunst könne auch das Poetische nichts anderes sein als ›der gelungene Ausdruck des Innerlichen, Zuständlichen und Notwendigen, das jeweilig in einer Zeit und in einem Volke steckt, etwas sehr Nahes, Bekanntes und Verwandtes, etwas sehr Einfaches‹. Erfahrungswirklichkeit und Imagination stehen sich nicht als Prosa und Poesie entfremdet und entzweit gegenüber, prosaische und poetische Realität bilden keinen Gegensatz; vielmehr muß sich die poetische Realität als eine Dimension der prosaischen erweisen.«

Wolfgang Preisendanz: Gottfried Keller. In: Benno von Wiese (Hrsg.):
Deutsche Dichter des 19. Jahrhunderts. Ihr Leben und Werk. Berlin:
Schmidt, ²1979. S. 517. – © 1969 Erich Schmidt Verlag GmbH & Co., Berlin.

3.8 Das Urteil eines Zeitgenossen: *Romeo und Julia auf dem Dorfe* als idealer Inbegriff realistischer Dichtung

Der Schriftsteller Berthold Auerbach (1812–1882) rühmt in einer Rezension *Romeo und Julia auf dem Dorfe* als ein »Kunstwerk [...], das nicht viele seines Gleichen in der deutschen Literatur hat«. Nicht die Freundschaft mit Gottfried Keller, sondern die ästhetische Qualität der Novelle scheint ihm dabei Anlass zum Ausdruck seiner Bewunderung zu sein:

»Bevor ich zu der dritten Erzählung übergehe, die ich mit dem höchsten Lob hervorheben möchte, muss ich dem Dichter einen schweren Vorwurf machen: er hat an den Schluss dieser Erzählung und sogleich an den Anfang der nächsten die Versicherung gestellt dass sie ›durchaus nicht etwa erfunden seien‹, sondern ›auf einem wahren Vorfall beruhen‹. Das ist kurzweg gesagt ein Philisterzopf. Wozu sollen diese Versicherungen der bloßen Wirklichkeit? [...] Es kommt in der realistischen Dichtkunst, die vom Leben ansetzt, nur darauf an dass die innere Wahrheit und Notwendigkeit sich herausarbeite. Die realistische Dichtung hat ihr Hauptaugenmerk in der Motivierung, in der Herbeiführung der Notwendigkeit des Geschehenden, ob dieses auch in der äußern Welt so war, tut nichts dazu [...]. Und in der dritten Erzählung ›Romeo und Julia auf dem Dorfe‹, hat der Dichter mit solcher Meisterschaft eine so berückende und bezwingende Notwendigkeit und Folgerichtigkeit herbeigeführt, dass er in dieser Erzählung im Bau des Ganzen wie in wahrhaft berauschenden Einzelheiten ein Kunstwerk geschaffen, das nicht viele seines Gleichen in der deutschen Literatur hat, und diese Erzählung allein müsste Gottfried Keller den Namen eines vollgediegenen Dichters zuwenden. Das Landschaftliche wie das Menschenleben, Empfindung und Schicksal, das langsam Genetische wie das plötzlich sich Entfaltende ist mit gleicher künstlerischer Innigkeit behandelt. Diese Geschichte ist wie ein erweitertes Volkslied, und dabei doch mit jener Behaglichkeit und Sorglosigkeit ausgeführt, wie wir sie in Tristan und Isolde finden, wobei die verfänglichsten Situationen mit reiner Naturtrieblichkeit erfasst sind. Es ist ein keckes und waghalsiges Thema, das Gottfried Keller hier aufgegriffen, aber es ist mit solcher Sicherheit und innerster Dezenz durchgeführt, dass es seine Rechtfertigung eben nur in solcher Ausführung darstellt.«

> Berthold Auerbach: Gottfried Keller von Zürich. In: Augsburger Allgemeine Zeitung Nr. 108. 17. April 1856. Beilage S. 1721–23.

3.9 Realismus als Lebenshaltung: Gottfried Kellers Existenzphilosophie

Während seines Studiums in Heidelberg (1848–50) lernte Gottfried Keller den Philosophen Ludwig Andreas Feuerbach (1804–1872) kennen, dessen materialistische Weltsicht ihn nachhaltig beeinflusste. Feuerbach vertrat den religions- und idealismuskritischen Standpunkt einer radikalen Diesseits- und Wirklichkeitsorientierung.

Im folgenden Brief an Wilhelm Baumgartner vom 27. März 1851 aus Berlin äußert Gottfried Keller sich wenige Jahre vor der Entstehung von *Romeo und Julia auf dem Dorfe* dazu, in welchem Maße seine Literatur einer ausschließlich realistischen Perspektive folgt:

»Sehr gefreut hat mich die Art, wie Du meinen Anschluss an Feuerbach aufgenommen hast, und ich ersehe daraus, dass Du die Sache im rechten Lichte ansiehst. Wie trivial erscheint mir gegenwärtig die Meinung, dass mit dem Aufgeben der sogenannten religiösen Ideen alle Poesie und erhöhte Stimmung aus der Welt verschwinde! Im Gegenteil! Die Welt ist mir unendlich schöner und tiefer geworden, das Leben ist wertvoller und intensiver, der Tod ernster, bedenklicher und fordert mich nun erst mit aller Macht auf, meine

Aufgabe zu erfüllen und mein Bewusstsein zu reinigen und zu be-
friedigen, da ich keine Aussicht habe, das Versäumte in irgend einem Winkel der Welt nachzuholen. [...]

[...] für die Kunst und Poesie ist von nun an kein Heil mehr ohne
vollkommene geistige Freiheit und ganzes glühendes Erfassen der
Natur ohne alle Neben- und Hintergedanken, und ich bin fest über-
zeugt, dass kein Künstler mehr eine Zukunft hat, der nicht ganz und
ausschließlich sterblicher Mensch sein will. Daher ist mir auch
meine neuere Entwicklung und Feuerbach für meine dramatischen
Pläne und Hoffnungen weit wichtiger geworden als für alle übrigen
Beziehungen, weil ich deutlich fühle, dass ich die Menschennatur
nun tiefer zu durchdringen und zu erfassen befähigt bin. Jedes dra-
matische Gedicht wird um so reiner und konsequenter sein, als nun
der letzte *Deus ex machina* verbannt ist, und das abgebrauchte Tra-
gische wird durch den wirklichen und vollendeten *Tod* einen neuen
Lebenskeim gewinnen.«

Gottfried Keller: Gesammelte Briefe. In vier Bänden hrsg. von Carl Helbling.
Bd. 1. Bern: Benteli, 1950. S. 290 f.

Kaiser, Gerhard: Sündenfall, Paradies und himmlisches Jerusalem in Kellers »Romeo und Julia auf dem Dorfe«. In: Euphorion 65 (1971) S. 21–48.

Koebner, Thomas: Romeo und Julia auf dem Dorfe. In: Erzählungen und Novellen des 19. Jahrhunderts. Bd. 2. Stuttgart: Reclam 2003.

Metz, Klaus-Dieter: Lektüreschlüssel. Gottfried Keller: Romeo und Julia auf dem Dorfe. Stuttgart: Reclam 2007.

– Gottfried Keller. Stuttgart: Reclam 1995.

Muschg, Adolf: Gottfried Keller. München: Kindler 1977.

Preisendanz, Wolfgang: Gottfried Keller. In: Deutsche Dichter des 19. Jahrhunderts. Ihr Leben und Werk. Hrsg. von Benno von Wiese. Berlin: Schmidt ²1979.

Sautermeister, Gert: Erläuterungen und Dokumente. Gottfried Keller: Romeo und Julia auf dem Dorfe. Stuttgart: Reclam 2003.

Stocker, Peter: Romeo und Julia auf dem Dorfe. Novellistische Erzählkunst des Poetischen Realismus. In: Gottfried Keller: Romane und Erzählungen. Hrsg. von Walter Morgenthaler. Stuttgart: Reclam 2007.

Trabert, Florian: Gottfried Keller. Marburg: Tectum 2015.

Zweifel Azzone, Annarosa: Familie und Außenseiter in Gottfried Kellers Romeo und Julia auf dem Dorfe. In: Beatrice Sandberg (Hrsg.): Familienbilder als Zeitbilder. Erzählte Zeitgeschichte(n) bei Schweizer Autoren vom 18. Jahrhundert bis zur Gegenwart. Berlin: Frank & Timme 2010. S. 71–83.

Verfilmung

In Liebe vereint – Romeo und Julia auf dem Dorfe. Regie: Holger Barthel. Bonn: Lingua Video 2002.

Inhalt

Raum für
Notizen

Raum für
Notizen